N'arrêtez jamais
de danser

Du même auteur :

La vieillesse vient trop vite et la sagesse trop tard, Paris, Marabout, 2006 pour la traduction française

Certains textes contenus dans cet ouvrage ont été publiés sous une forme légèrement différente dans *The Washington Post, San Francisco Chronicle, Baltimore Sun* et le magazine *Yachting*.

Dr Gordon Livingston

N'arrêtez jamais de danser

*Trente nouvelles leçons de vie
pour être heureux*

•MARABOUT•

À mes enfants,
Kirsten, Nina, Andrew, Michael, Emily et Lucas
La vie nous prend, la vie nous donne.

et à mes petits-enfants
Tatiana, Karl et Felipe
que le XXIe siècle nous a apportés en cadeau

Après l'explosion d'une bombe qui a tué, voici quelques années, une vingtaine de jeunes devant une discothèque de Tel-Aviv, la jeunesse israélienne, refusant de se laisser intimider, a recommencé à s'amuser la nuit. Aujourd'hui, devant le lieu de l'explosion, à côté d'un monument de pierre sur lequel est inscrit les noms des victimes, on peut lire une simple phrase : LO NAFSEEK LIRKOD. Ce qui veut dire : « Nous n'arrêterons pas de danser. »

Gene Weingarten,
The Washington Post Magazine

Sommaire

Remerciements

C et ouvrage doit beaucoup à de nombreuses personnes. Si je ne les remercie pas toutes individuellement, ce n'est pas par ingratitude, mais parce que je sais que j'oublierais forcément quelqu'un dont j'ai emprunté la pensée.

Toutefois, j'aimerais rendre hommage à mon éditeur exceptionnel, Matthew Lore. Je lui voue une reconnaissance éternelle, pour son amitié, son soutien indéfectible, la justesse de son regard éditorial et sa détermination à croire en ce livre comme aux précédents. Rares sont les auteurs qui ont autant de chance que moi. Merci aussi à mon agent, l'inestimable Rafe Sagalyn qui, bien que traversant de terribles épreuves personnelles, a réussi malgré tout à me représenter. Je tiens aussi à remercier Jim Finefrock, rédacteur de la rubrique Insight du *San Francisco Chronicle*, et à Richard Gross, responsable des chroniques et des commentaires au *Baltimore Sun*. Tous deux m'ont généreusement permis de m'exprimer sur des sujets qui me tiennent à cœur. Merci aussi à mon ami et collègue Tom Ferguson, qui a entrevu dans mes recherches des vérités utiles et a été le premier à m'encourager à les écrire. Merci à ma fille Emily, auteur de talent, dont les suggestions ont été précieuses pour le manuscrit. Sa nature passionnée, les valeurs qu'elle porte et la tolérance dont elle fait preuve vis-à-vis de toutes mes erreurs de parent continuent à m'inspirer. Et enfin, merci à mon épouse, Clare, qui incarne tout ce que j'admire et m'étonne chaque jour dans son obstination à vouloir continuer de partager ma vie, après trente-deux ans.

1

Nos vies sont placées sous le signe du paradoxe

Trente-six années passées à écouter mes patients parler de leurs rêves et de leurs insatisfactions m'ont permis de constater que la plupart des êtres humains ont infiniment de mal à définir ce qu'est le bonheur et à savoir comment atteindre et faire perdurer cet état tant désiré.

Nous vivons dans la société la plus prospère de l'histoire de l'humanité : désormais, notre bien-être matériel est quasi garanti, nos ennemis naturels sont tous maîtrisés et la plupart des maladies infectieuses qui menaçaient notre survie sont sous contrôle. Aussi, on pourrait penser que les Hommes ont eu, depuis le temps, tout le loisir d'imaginer des modes de coexistence leur procurant durablement un sentiment d'épanouissement et de satisfaction. Or ce n'est pas le cas – ce qui au demeurant fournit du travail à des gens comme moi.

Quel est notre problème, au juste ? Qu'y a-t-il donc, dans la condition humaine, qui se dresse entre nous et ce à quoi nous aspirons ?

Étant moi-même quelqu'un qui travaille avec sa tête et son cœur, j'ai toujours admiré ceux qui se servent de leurs mains pour gagner leur vie. Dans ma jeunesse, j'ai passé beaucoup de temps à la campagne et j'adorais, entre autres, débiter des arbres pour en faire du bois de chauffage. Il y a quelques années, j'ai acheté une maison à l'extérieur de la ville, dans laquelle j'ai installé un poêle à bois. Un jour, en passant devant une propriété, j'ai vu un chêne mort dans le jardin. Je me suis arrêté pour demander au propriétaire s'il m'autorisait à abattre son arbre et à prendre le bois. Il n'a pas eu d'objection et était même ravi de ma proposition.

J'ai abattu l'arbre et il m'a fallu une journée pour le débiter. Alors que j'étais en train de le débarrasser des dernières bûches, le maître des lieux m'a chaleureusement remercié, m'expliquant qu'une entreprise d'élagage voulait lui faire payer 500 dollars pour l'abattage de son arbre. Cela m'a décidé à me lancer dans cette activité. Renseignements pris, j'ai découvert que pour recevoir l'agrément d'abattage de bois, il fallait passer un examen, comportant une épreuve écrite et une épreuve pratique. Le jour J, je me suis rendu dans le chef-lieu de l'État dont j'étais alors résident et je me suis retrouvé dans une pièce en compagnie de jeunes gens portant des chemises en flanelle et des barbes de trois jours. L'épreuve écrite était assez facile. Puis les choses se sont corsées : l'examinateur nous a demandé de le suivre pour une promenade dans les rues de la ville. Il nous désignait des arbres, dont nous devions inscrire l'espèce sur une fiche. C'était au cœur de l'hiver. Ceux qui connaissaient les arbres mieux que moi n'eurent aucun mal à répondre. Quant à moi, je m'efforçais tant bien que mal de découvrir sur les branches quelques feuilles restantes permettant d'identifier l'espèce...

Quoi qu'il en soit, j'ai réussi l'examen, j'ai passé une petite annonce dans le journal et, au cours des années qui ont suivi, j'ai consacré une partie de mon activité à abattre des arbres. J'avais trouvé là un moyen plus productif de faire de l'exercice que de courir sur un tapis roulant dans un club de gym. Plus tard, moyennant rémunération, j'ai demandé à un vrai professionnel de m'apprendre à grimper aux arbres, ce qui ajoutait encore au charme de l'expérience... Quelle n'était pas, en revanche, la surprise de certains propriétaires, lorsque mon beeper se mettait à sonner – ce qui arrivait fréquemment –, et qu'il fallait que je descende de l'arbre *illico presto* pour utiliser leur téléphone, afin de parler avec le service des urgences à l'hôpital !

Le spectacle que j'offrais en grimpant aux arbres et en les coupant attirait généralement un certain nombre de curieux. Un jour, alors que j'étais perché dans un noyer, la branche à laquelle je me tenais a cassé. J'ai fait une chute d'une dizaine de mètres et je suis tombé sur une pelouse, manquant de peu un trottoir en pierre et quelques spectateurs. Alors que j'étais allongé sur le sol, un peu sonné et plutôt gêné, un homme s'est précipité vers moi et s'est mis à me palper la glande thyroïde, en me tenant des propos rassurants : « Ne vous inquiétez pas, je suis médecin. » Je lui ai demandé quelle était sa spécialité. Il m'a répondu qu'il était dermatologue ! Au loin, j'entendais la sirène de l'ambulance, qui arrivait. Mon dos a guéri rapidement. Quant à moi, j'ai mis un terme à mon activité d'abattage.

Si je vous raconte cette anecdote, c'est parce que, comme si souvent dans la vie, des événements positifs et des événements négatifs s'y côtoient : j'ai réalisé mon rêve de gagner ma vie à la sueur de mon front, mais ma santé en a souffert. Pour se balancer avec élégance au bout d'une corde, il faut commencer par apprendre à grimper aux arbres. Les gens admirent ceux qui prennent des risques physiques mais trouvent également divertissant d'assister à un accident. Je dispose désormais de bois de chauffage à profusion, mais mon mal de dos m'empêche de remiser ce bois à l'intérieur de la maison. Je pourrais trouver d'autres illustrations de cette vérité.

J'en suis arrivé à la conclusion que notre existence se construit sur des paradoxes. Lorsqu'un événement se produit, il faut parfois attendre de nombreuses années avant de pouvoir déterminer s'il a eu des effets négatifs ou positifs. Ainsi, notre famille paie souvent les frais de notre réussite professionnelle. Notre amour de jeunesse finit par nous empoisonner l'existence. L'expérience nous fait gagner en sagesse, mais le temps a raison de nous. Et plus les choses changent, plus elles restent immuables.

La plus grande désillusion qui soit est de découvrir que le « respect des règles » ne garantit pas toujours le bonheur. Force est de constater que quantité de règles auxquelles nous nous conformons ont été édictées pour protéger les intérêts et les privilèges d'autres que nous, ce qui explique que tant de personnes ont le sentiment d'être manipulées par des forces échappant à leur contrôle : administrations anonymes, entreprises gigantesques, impératifs économiques, tous rouages d'une société qui prône la quête du bonheur, tout en érigeant quantité d'obstacles sur la voie qui y mène.

Pour tenter de cerner ce qu'est un comportement acceptable, les professionnels de la santé mentale ont été chargés de définir la « normalité ». La psychiatrie a apporté sa pierre à l'édifice en établissant le *Manuel diagnostique et statistique des troubles mentaux*, qui en est à sa quatrième édition. Cet ouvrage volumineux répertorie les divers comportements jugés anormaux par notre société. On y trouve les grandes maladies mentales (schizophrénie, troubles bipolaires, dépression), ainsi que diverses formes d'anxiété et d'abattement qui poussent les individus à se faire aider. Le manuel recense également des schémas de comportements inadaptés et difficiles à supporter sous l'étiquette « troubles de la personnalité » : cela recouvre des personnalités antisociales, dépendantes ou dans l'évitement, ayant des comportements compulsifs, c'est-à-dire tous ces individus qui ennuient et dérangent leur entourage.

Une composante génétique intervient, semble-t-il, dans quantité de nos traits de caractère. Ainsi, des vrais jumeaux ayant été élevés séparément ont une forte probabilité de souffrir de troubles mentaux comparables. Ils présentent également des similitudes importantes dans leur personnalité, au fur et à mesure de leur développement, conduisant ou non à des troubles. L'inné et l'acquis interviennent à égalité pour déterminer quel type d'individus nous sommes.

En dépit de toutes nos connaissances en matière de diagnostic du comportement humain, nous restons confrontés à des questions essentielles : comment vivre ? Comment discerner les facettes de l'existence sur lesquelles nous avons une influence et celles dont nous devons nous accommoder ? Sur ce point, on peut établir une analogie avec les maladies cardiaques : indiscutablement, certains facteurs nous prédisposent aux problèmes coronariens, sur lesquels nous n'avons aucun contrôle : c'est le cas de notre patrimoine génétique et de notre sexe. Un homme ayant eu, chez les hommes de sa famille, des antécédents de mort prématurée due à des crises cardiaques sera bien inspiré de ne pas fumer, de surveiller son alimentation et de pratiquer une activité physique régulière. Pourtant, le risque d'infarctus du myocarde restera élevé. Faut-il pour autant se dire « advienne que pourra », et manger, boire et fumer sans modération, aussi longtemps que possible ? La réponse à cette question appartient à chaque individu.

Un écrivain a défini le bonheur comme le rapport entre les réalisations de l'individu et ses attentes. Si le numérateur de la fraction est suffisamment élevé – si nous avons accompli suffisamment de choses dans notre existence, quel que soit ce qu'on entend par là – nous avons une probabilité élevée d'être heureux. Toutefois, si le dénominateur (les attentes), est important, il peut surpasser les réalisations, ce qui donne naissance à un sentiment d'insatisfaction. L'aspect rassurant de la chose, c'est que, le bonheur étant une expérience subjective, c'est *l'individu lui-même* qui définit les deux composantes du ratio. Qu'est-ce qui constitue, pour chacun de nous, un niveau satisfaisant d'accomplissement ? Et comment cela s'accorde-t-il avec nos attentes ? Ce principe explique pourquoi certaines personnes que nous estimons moins bien loties que nous sur le plan matériel ont peut-être des vies plus heureuses que la nôtre. Le dicton selon lequel l'argent ne fait pas le bonheur vient aussi de là.

En ce sens, la meilleure stratégie consiste à contrôler ce qu'il est possible de contrôler, sans se bercer d'illusions sur le fait que tout est contrôlable. Recourons à un autre paradoxe pour exprimer cette idée différemment : *c'est en renonçant à l'illusion du contrôle total qu'on obtient le contrôle maximum*. Ici encore, il s'agit de trouver le juste milieu entre deux extrêmes, l'impuissance et la toute-puissance.

Vous vous dites que cela ressemble fort à du fatalisme ? Peut-être... Pour ma part, je préfère voir les choses ainsi : pour être heureux dans un monde où des événements terribles ne cessent de se produire, de manière inattendue, il faut avoir des attentes réalistes et développer une résilience au tragique, qui nous préserve du désespoir. L'être humain doit s'attendre aux bonnes comme aux mauvaises nouvelles et doit savoir accepter les unes comme les autres. C'est encore une fois le paradoxe de l'existence. Nous devons également apprendre l'art du lâcher prise : le passé, les rancœurs persistantes, notre jeunesse... La vie n'épargne personne. Que cette réalité pousse l'être humain au désespoir ou qu'elle l'incite, au contraire, à trouver les ressources nécessaires pour se lever chaque matin est une question d'attitude, qui dépend de chaque individu.

2

Une grande partie
de ce que nous pensons savoir est faux

Nous avons tous nos points aveugles – c'est-à-dire nos idées sur le monde ou sur nous-mêmes auxquelles nous croyons fermement, même si tout indique qu'elles sont fausses. Au cours de mon expérience de psychiatre, j'ai constaté que la plupart des individus ont une piètre opinion d'eux-mêmes, sur la plupart des plans (il est vrai que je reçois beaucoup de personnes dépressives). Demandez aux gens quel âge ils ont dans leur tête et vous verrez que, dans la plupart des cas, ils se rajeuniront de dix ans. Toutefois, ceux qui se mentent vraiment à eux-mêmes sont peu nombreux. Nous savons quel âge nous avons et ceux qui refusent de l'avouer à leur entourage savent pertinemment qu'ils trichent.

Rares sont les adultes qui se trouvent extrêmement séduisants et considèrent qu'ils ont le poids idéal, qu'ils sont super intelligents ou promis à de grands destins. Il existe même un terme fort pratique, forgé par Freud, pour décrire les individus ayant une trop haute opinion d'eux-mêmes : on dit qu'ils sont narcissiques.

À quelques rares exceptions près, la plupart des individus ont une mauvaise perception d'eux-mêmes et se trompent sur leurs points forts. Il suffit d'observer les réponses qu'on obtient aux questions suivantes : êtes-vous quelqu'un de perspicace ? Avez-vous de l'humour ? Êtes-vous un bon conducteur ? Posez ces questions à vos amis et à votre famille : vous verrez que rares sont ceux qui répondent par la négative. Certaines personnes que je rencontre, qui comptent parmi les moins introspectives qui soient, considèrent qu'elles ont une grande capacité à analyser leurs propres comportements. Et on ne saurait les persuader du contraire. J'entends toutes sortes d'explications aux souffrances émotionnelles les plus diverses, mais il est peu fréquent qu'on me dise : « Je pense que mon problème est inhérent à ma personnalité, mais je ne me suis jamais vraiment livré à une introspection approfondie. Je me contente de me laisser guider plutôt que de guider. ». Dans certains cas, j'arrive à persuader la personne d'envisager l'idée qu'une part d'elle-même lui échappe (son inconscient) ou que sa réflexion est erronée. Dans d'autres cas, je n'arrive à rien.

La capacité à rire (surtout de soi-même) est un mécanisme de protection précieux – c'est aussi l'une des antidotes les plus efficaces aux multiples tragédies de l'existence. À une époque, lorsque les patients que je recevais en thérapie affirmaient qu'ils avaient le sens de l'humour, je leur demandais de me raconter une plaisanterie – ce qui, j'en conviens, ne démontre pas grand-chose, hormis qu'on a une bonne mémoire. Aujourd'hui, je donne aux gens la chute d'une blague connue et leur demande de me raconter le début.

Testez vous-même. Amusant, non ? Pas pour tout le monde. Évitez d'y jouer à la maison pour ne pas mettre en péril vos relations avec vos proches !

Concernant la conduite automobile, la situation se passe de commentaires. Les gens me racontent leurs contraventions pour excès de vitesse, leurs accidents à répétition, leurs interpellations pour conduite en état d'ivresse ou de stupéfiants. Et tous sont convaincus qu'ils sont d'excellents conducteurs, victime de la malchance ou de l'excès de zèle de fonctionnaires. Or qui peut dire qu'il n'a jamais vu, sur l'autoroute, une conductrice se mettre du rouge à lèvres au volant ou un chauffard faire des queues de poisson ? Si on les interrogeait, ces deux personnes se définiraient comme d'excellents conducteurs…

Il y a trois mensonges bien connus : « Je vous ai posté le chèque hier », « Je t'aime », et « Le vol aura environ une heure de retard ». Les questions qui ont pu susciter de telles réponses sont plus importantes que les réponses elles-mêmes ; elles nous apprennent des choses sur nous-mêmes et sur la condition humaine. Nous rêvons peut-être de gagner au loto ou de passer à la télévision. Or, ce qui améliorerait vraiment nos existences serait de rire davantage, de réfléchir aux raisons pour lesquelles nos vies sont ce qu'elles sont et de nous rapprocher de ceux qui nous sont chers.

3

Le pardon est un cadeau qu'on se fait à soi-même

Après le massacre de Columbine, en 1999, aux États-Unis, quinze croix ont été dressées sur la colline dominant le lycée, commémorant à la fois les victimes et les tueurs. Puis, un jour, le père et le beau-père de l'une des victimes ont enlevé les deux croix comportant les noms des assassins. Ils étaient opposés à ce que l'on commémore les tueurs et leurs victimes au même endroit.

Ainsi, alors que nous cherchions un sens à cette tragédie, si tant est qu'elle en ait un, nous avons été amenés à nous poser la question de l'attitude qu'il convenait d'adopter. Après les funérailles et les cérémonies commémoratives, ces événements ont commencé à s'estomper, à l'image des montagnes de fleurs déposées près du lycée et qui se sont fanées. Les commentateurs se sont tournés vers d'autres événements et les actes de ces deux adolescents de banlieue, qui commémoraient ainsi l'anniversaire de la naissance d'Hitler, se sont noyés dans le flot de l'actualité, avant de s'effacer de toutes les mémoires, hormis celles des familles des morts. Seul celui qui a vécu un deuil peut comprendre ce qu'est la vie dans un monde indifférent à vos blessures pour toujours ouvertes. Si nous sommes voués à l'oubli, envisageons au moins la possibilité du pardon.

Les États-Unis ne sont pas un pays qui pardonne volontiers. Une grande partie de notre législation, c'est-à-dire là où s'exerce concrètement notre justice, repose sur le principe du châtiment. L'idée de devoir accomplir sa peine pour être quitte, même lorsque cela n'a de toute évidence pas grand sens, est profondément ancrée dans notre culture. Citons seulement deux exemples : 74 % des Américains sont favorables à la peine de mort et notre société est la plus procédurière qui soit. Aucun écart n'est permis, que le préjudice à autrui soit réel ou imaginaire. Trouver des victimes et des coupables est un sport national.

Il n'est donc guère surprenant que le pardon ne soit pas à la mode. On pourrait définir celui-ci comme « l'abandon d'une doléance à laquelle on a droit ». Largement confondu avec l'oubli ou la réconciliation, le pardon n'est ni l'un, ni l'autre. Il est un acte d'abandon, de renonciation. Ce n'est pas une chose que l'on fait pour autrui, c'est un cadeau qu'on se fait à soi-même. Les tueurs du lycée de Columbine se sont infligé la peine de mort. Que nous reste-t-il à leur imposer ? En leur pardonnant, nous ne les dégageons pas de leur responsabilité ; nous nous libérons nous-mêmes du poids de l'amertume. Dans ce sens, le pardon est un acte non pas altruiste, mais égoïste.

En proie à diverses souffrances, les gens viennent me voir, déterminés à entamer une psychothérapie. Maltraitances, parents alcooliques, déboires conjugaux, entre autres malheurs possibles, sont avancés comme autant d'« explications » à l'état psychique ou au comportement actuel de la personne. L'inconvénient de ces arguments, c'est que tout individu a été façonné, dans une certaine mesure, par son passé, mais qu'aucun de nous n'a le pouvoir de changer ce qui s'est produit. Se défaire de l'emprise du passé exige un choix conscient qui, paradoxalement, ne demande pas de la force, mais seulement du courage. Cette démarche implique nécessairement le pardon, pas seulement vis-à-vis de ceux qui nous ont blessés, mais aussi vis-à-vis de nous-mêmes, pour la foultitude d'erreurs, de manquements et d'occasions ratées qui ont façonné nos existences.

À la télévision, nous avons tous vu couler le sang d'innocents. Aux images du Colorado ont succédé celles du Darfour et d'Irak. Existe-t-il des péchés au-delà du pardon ?

J'imagine que oui. Qui pourrait en vouloir au père qui n'a pas supporté que les assassins de sa fille reposent à côté d'elle ? Mais d'une certaine manière, ce massacre en lui-même peut être considéré comme un échec du pardon. Car ces deux adolescents ont, semble-t-il, été victimes de maltraitances et nourrissaient en leur cœur une incommensurable haine. Aucune excuse n'est possible pour leurs crimes, mais quiconque souhaite véritablement comprendre ce qui s'est passé (c'est notre cas) ne devrait aborder cette question dans le même état d'esprit que les assassins eux-mêmes, lorsqu'ils ont déchaîné leur haine contre leurs camarades.

Le pardon et la justice ne sont pas incompatibles. On peut juger un individu responsable de ses actes, sans pour autant penser que le mal n'existe que chez les autres ou croire, comme on veut bien nous le faire entendre, que la vie est simple comme « bonjour ».

En 2005, un fait divers a défrayé la chronique aux États-Unis. Une mère célibataire de 26 ans, Ashley Smith, a réussi à échapper à la furie meurtrière de Brian Nichols, le tueur en série du tribunal d'Atlanta, comptable de déjà quatre crimes ce jour-là. On ne sait comment elle s'y est prise, mais elle a réussi à contenir un débordement émotionnel qui conduisait au passage à l'acte ; après avoir passé plusieurs heures à discuter avec elle, il l'a laissée partir, avant de se rendre à la police sans opposer de résistance.

Accorder à Ashley Smith tout le crédit de sa survie reviendrait à nier ce qui a pu se passer de complexe sur le plan relationnel entre ces deux individus très différents. Elle a eu la vie sauve grâce au dialogue qu'elle a réussi à engager avec cet homme sur le thème de la famille et de la religion. Ce faisant, la complexité de la personnalité de son interlocuteur s'est peu à peu révélée (sa complexité à elle est apparue plus tard, lorsqu'elle a reconnu avoir partagé avec lui la drogue qu'elle avait sur elle). Assassin avéré, l'homme était aussi inculpé pour viol. Pourtant, il ne lui a fait aucun mal. À ses yeux, elle est devenue un individu méritant la vie et le respect. Lorsqu'il l'a libérée, elle a pensé qu'il devait savoir qu'elle appellerait la police.

Considérer cet homme uniquement comme un monstre dépourvu de conscience, c'est faire l'impasse sur son humanité qui a tout de même permis à la femme qu'il a prise en otage de survivre. Dans une vision manichéenne du monde, l'homme serait le mal incarné, dépositaire de toutes nos peurs, de toutes nos violences, tandis que l'otage devrait être considérée comme une héroïne, même si, en réalité, elle n'a fait qu'adopter le comportement, qui, à son sens, lui donnait le plus de chances de rester en vie. Elle a pensé qu'en le traitant comme un être humain et en gagnant sa confiance, il la laisserait peut-être partir et c'est ce qui s'est produit.

Brian Nichols, semble-t-il, était en quête de quelque chose en enfreignant la loi, d'une chose transcendant tout, même sa liberté. Au cours de leur longue conversation, qui a duré toute la nuit, il a fini par voir la main du Tout-Puissant dans cette femme prise en otage. « Il a dit que j'étais un ange envoyé par Dieu. Que j'étais sa sœur et lui mon frère devant le Christ. » En réalité, elle a davantage été une mère pour lui. Elle l'a écouté, elle l'a dissuadé de mettre fin à ses jours, elle lui a offert une sorte de pardon et elle lui a préparé un repas.

Les héros que nous choisissons en disent long sur nous : du pompier dont le métier est de se précipiter dans des bâtiments qui parfois s'effondrent sur lui, au soldat qui trouve la mort au combat on ne sait pourquoi ni comment, à la chrétienne qui sauve sa vie grâce à son intuition et à ses croyances religieuses.

Que pouvons-nous en conclure ? Ashley Smith nous a donné une leçon précieuse sur le pouvoir de la foi et de l'empathie, nous invitant aussi à ne jamais désespérer. Brian Nichols, quant à lui, nous a montré que même les plus violents d'entre nous sont capables de sentiments et peuvent faire preuve d'humanité… et apprécier les crêpes qu'on leur sert au petit déjeuner.

Le mariage tue l'amour

C'est la tyrannie du mariage : il peut faire ressortir la pire facette de notre personnalité. Assiettes cassées, portes qui claquent, visages renfrognés, tout cela fait partie du contrat. Simplement, personne nous le dit. Personne ne nous dit que le seul amour inconditionnel sur Terre est celui qui unit les parents à leurs enfants… Mais la passion entre un homme et une femme n'est pas éternelle. Si elle dure mille jours, vous pouvez vous estimer heureux…

Nulle solitude ne saurait égaler le mariage.

Dani Shapiro, *Picturing the wreck*

Que recherchons-nous, qui nous attire irrémédiablement vers le mariage ? Il y a, pour sûr, l'attente avec laquelle nous avons grandi, le désir de trouver celui avec lequel nous formerons un binôme présentant quantité d'avantages pratiques, depuis les réductions d'impôts jusqu'à la division du travail qui rend l'éducation des enfants plus facile. Pour beaucoup, le mariage constitue également l'aboutissement d'une longue quête et un soulagement, celui d'échapper à cet univers angoissant, lourd en rejets, dans lequel vivent les célibataires.

Quels que soient les avantages du statut de célibataire – indépendance, flexibilité, possibilité d'avoir une vie sexuelle exaltante avec des partenaires multiples – un seul coup d'œil aux nombreux sites de rencontre sur Internet, tellement en vogue, permet de comprendre que la grande majorité des individus aspire à une relation de couple.

Lorsque nous finissons par décider de nous marier, tout le monde se réjouit pour nous. Une fois la décision prise, nous embarquons à bord du « mariage-express », qui nous conduit inexorablement vers le plus beau jour de notre vie (et aussi le plus coûteux). J'ai entendu beaucoup de gens, généralement en plein divorce ou en pleine séparation, évoquer le malaise qu'ils avaient ressenti à l'approche du jour J et qu'ils ont refoulé pour ne pas déplaire à leur famille respective. À chaque fois, on m'explique que « nous avions déjà envoyé les invitations » ou que « les fleurs avaient déjà été commandées », comme excuse pour ne pas avoir écouté cette petite voix intérieure qui exprimait un doute.

Les futurs mariés concrétisent donc leur union, pour constater ensuite, dans environ la moitié des cas, que celui ou celle qu'ils ont épousé(e) est devenu(e) quelqu'un d'autre, quelqu'un qu'ils n'aiment plus. Qu'est-ce qui a provoqué cette révélation ? Une infidélité, un comportement déplacé ou souvent simplement l'ennui. « Nous nous sommes éloignés l'un de l'autre », disent-ils. « J'ai rencontré quelqu'un d'autre » ou bien « Je ne supporte plus nos disputes ». Et lorsque je leur demande de préciser l'enjeu de ces disputes, les réponses sont toujours les mêmes : les enfants, l'argent, le sexe, la belle-famille, toutes ces choses qui anéantissent une vie de couple lorsqu'on ne s'aime plus. Un mariage qui vole en éclats est comme un mauvais repas : trop peu de ce qu'on aime et trop de ce qu'on déteste.

Suit le divorce, dans l'amertume, avec des tiers recrutés pour engager une bagarre juridique dont personne ne sort gagnant. Une fois le divorce prononcé, l'homme et la femme sont prêts à se lancer dans une aventure à l'issue incertaine, celle de trouver une nouvelle âme sœur. Le taux d'échec des deuxièmes mariages, plus élevé que celui des premiers, montre que ceux qui tirent les leçons de ce processus douloureux sont rares.

Pourquoi est-il si difficile de réussir une vie de couple harmonieuse ? Peut-être la faute en incombe-t-elle à nos mères… Soit elles nous aimaient tellement qu'aucun adulte ne leur arrive à la cheville, soit elles ne nous aimaient pas assez : dans ce cas, nous restons des enfants en quête de cette approbation inconditionnelle que si peu de conjoints sont prêts à offrir. Peut-être l'explication essentielle réside-t-elle dans le caractère irréaliste des attentes. À moins que le principal coupable ne soit Hollywood…

Nous sommes nombreux à être séduits par l'idée romantique du mariage ; chacun cherchant sa chacune.

Rares sont les individus qui se trouvent « achevés ». Il n'est donc pas étonnant que nous recherchions notre moitié. Le problème, c'est qu'au début de notre vie d'adulte, au moment où nous cherchons une personne susceptible de nous compléter, nous sommes encore… Comment exprimer cette idée diplomatiquement ? Relativement… stupides ! Ou, disons, manquant d'expérience sur le monde et sur ce qu'on est raisonnablement en droit d'attendre d'autrui. Avant tout, nous souffrons d'un déficit d'informations sur ce qui permet de distinguer les gentils des méchants, et encore moins de prévoir ce que sera l'autre dans vingt ans, dans dix ans, voire dans cinq ans.

Par conséquent, nous commettons des erreurs. Après avoir écouté les gens me raconter avec force détails à quel point leur conjoint est devenu odieux, je leur dis souvent quelque chose comme : « J'imagine qu'il ou elle a changé d'une manière totalement imprévisible pour vous. » La réponse est généralement : « Oui, c'est exactement ce qui s'est passé. » Je leur dis alors : « D'accord, c'est ce qui s'appelle une erreur. L'une des règles d'or, dans la vie, c'est qu'en général on doit payer pour ses erreurs. Ce que vous ressentez en ce moment, c'est le prix à payer. »

Ce commentaire n'est pas toujours bien accepté. Lorsqu'une personne se plaint de son conjoint, fautif à ses yeux, elle n'aime guère se voir rappeler que c'est elle qui l'a choisi parmi des milliers de candidats possibles. Supporter la responsabilité de ce choix est la première étape permettant d'assumer ce qui s'est produit plus tard dans la relation. Si chaque individu commet des erreurs qu'il doit endosser et dont il doit tenter de tirer les leçons, le mauvais choix d'un conjoint est plus lourd de conséquences que d'autres.

Voici la question fondamentale à se poser, pour déterminer si l'on est prêt pour le mariage : suis-je capable d'aimer un autre adulte autant que je m'aime moi-même ? Et comment le savoir ? Le meilleur indicateur est notre comportement en présence de cette personne. Pouvons-nous sincèrement affirmer que nous ne ferions jamais intentionnellement quoi que ce soit susceptible de blesser l'autre ? Une autre question associée, et tout aussi importante, est de savoir comment nous nous sentons en présence de cette personne ? Sommes-nous au meilleur de nous-même en sa présence ?

Un autre élément intervient également : la capacité de cette personne à nous aimer, qu'il convient d'évaluer. Les qualités essentielles à rechercher ici sont la gentillesse et le don de soi. En apparence, cela semble s'apparenter au sacrifice. Cependant, dans une relation authentiquement placée sous le signe de l'amour, les frontières entre donner et recevoir s'estompent, et les besoins et les désirs de l'autre deviennent aussi importants que les nôtres.

Notons que ce qui passe pour de l'affection dans beaucoup de couples relève davantage d'un contrat, dans lequel le consentement à donner est lié à notre perception de ce que l'autre a à nous offrir. Ce genre de calculs exige une comptabilité minutieuse : c'est moi qui ai fait les courses la dernière fois, donc maintenant, c'est à toi. Or ces réactions sont le signe que quelque chose ne va pas au sein du couple. De la même manière, si vous passez beaucoup de temps à parler de la fréquence de vos relations sexuelles ou des mille et une manières de faire l'amour, il y a un gros problème dans votre couple. Dans ce domaine comme dans toutes les relations humaines, il y a une règle d'or : on ne peut recevoir que ce qu'on est prêt à donner.

On entend souvent dire qu'une relation de couple représente un travail considérable et qu'il faut être prêt à faire beaucoup de compromis. Personnellement, j'ai toujours eu le sentiment qu'il s'agissait là d'un truisme énoncé par des experts en platitudes, plus que d'un modèle à imiter. Au risque de paraître désespérément romantique et irréaliste, je persiste à dire qu'il est facile de faire fonctionner harmonieusement un couple, dès lors que l'un et l'autre ont fait preuve de clairvoyance lors du processus de sélection. Si l'on choisit un conjoint avec d'immenses réserves de gentillesse, qui est disposé à nous placer au centre de sa vie et si on a soi-même suffisamment cultivé ces qualités en soi, on peut rester sourd aux théories selon lesquelles un couple « qui roule » exige un travail considérable. Il vaut mieux, en effet, abandonner l'idée du travail de tous les instants et profiter des plaisirs infinis de l'amour.

5

Il est plus facile d'être en colère que d'être triste

On lit souvent, dans les articles de psychologie populaire, qu'il ne faut pas hésiter à exprimer sa colère. Cette idée s'applique à tous les domaines de la vie, mais avant tout à la thérapie. N'est-il pas très néfaste de réprimer ses émotions ? Chacun sait combien cela est inutile – et même catastrophique. Vous avez un grief ? N'hésitez plus : exprimez-le. Vous en voulez à quelqu'un ? Alors, dites-le-lui. Et si cela ne lui plaît pas, c'est son problème.

Cette idée est particulièrement répandue en thérapie de couple, où les gens viennent avec l'idée qu'exprimer sa colère, sentiment très répandu chez les couples battant de l'aile, permettra de remettre les choses à plat et d'ouvrir la voie à la réconciliation. Or *la colère engendre la colère*. Il est extrêmement difficile, lorsqu'on est agressé, de répondre de manière apaisée. Lorsque je m'enquiers de la manière dont les gens communiquent habituellement entre eux (et souvent aussi avec leurs enfants), on me décrit des conflits à répétition, dans lesquels chacun ressent perpétuellement le besoin de se défendre (et nous savons tous que la meilleure défense, c'est l'attaque). En général, ces disputes commencent par des critiques.

Je suis sidéré de constater combien les gens croient souvent, sans vraiment y réfléchir, que vivre avec quelqu'un signifie être à la fois la cible et la source de commentaires critiques. « Il laisse toujours son assiette sale sur la table » ou bien « Elle ne fait jamais le plein d'essence » ou bien encore : « Les enfants laissent traîner leurs affaires dans toute la maison. » Lorsque la personne subit ces désagréments, elle n'omet jamais de le faire remarquer, généralement en manifestant une irritation intense, à grands renforts de « jamais ceci » et de « toujours cela ». Alors, je leur demande : « À quoi ressembleraient vos vies si ni l'un, ni l'autre, vous ne vous critiquiez et si vous n'aviez pas à vous mettre d'accord sur le partage des tâches ? » Immanquablement cette question provoque de la sidération chez mes interlocuteurs, comme si je leur avais demandé de cesser de respirer ou de ne plus jamais se laver les dents jusqu'à la fin de leurs jours. « Mais de quoi parlez-vous ? Si je ne lui faisais pas remarquer ses erreurs et son manque d'attention à mon égard, tout irait à vau-l'eau. Les assiettes s'empileraient dans l'évier, la voiture tomberait en panne d'essence, la maison serait en proie à un chaos indescriptible... »

Voici mon idée : si l'on arrive à décider ensemble de renoncer à une attitude critique, l'ambiance de la maison changera radicalement. La relation prendra un autre tour : l'activité principale ne consistera plus à épier les fautes de l'autre, mais à coopérer à une entreprise commune, où chaque membre de la famille s'engage à maintenir un minimum d'ordre pour le confort de tous et pour être en mesure d'accueillir des étrangers. Chacun abandonne ainsi la position de victime ou d'agresseur, réponse défensive banale chez des personnes se sentant dépourvues de pouvoir et pleines de rancœur. Ainsi, *la gentillesse engendre la gentillesse*.

Bien évidemment, tout cela est beaucoup plus facile à dire qu'à faire. Un élément important intervient, ici : c'est la force de l'habitude. La plupart des gens ont été élevés par des parents ayant une idée bien précise de la bonne conduite et entendant la faire appliquer (à moins qu'ils n'aient été surprotégés sans jamais apprendre à être responsables). Or ce type d'éducation repose sur l'idée que, lorsqu'ils sont livrés à eux-mêmes, les enfants ne respectent plus aucune règle. En parlant de leur progéniture, les parents affirment volontiers : « Il n'écoute pas ce qu'on lui dit », ou : « Je me tue à lui répéter à quel point c'est important de bien travailler à l'école et d'avoir de bonnes notes, mais on dirait qu'elle ne comprend pas. »

Par conséquent, le jugement continuel et la colère finissent par devenir le mode de communication habituel avec ceux qui nous sont les plus proches. Lorsque les gens décident de venir me consulter, ils ont généralement déjà pris conscience que quelque chose n'allait pas dans leurs relations avec leur entourage. Prendre conscience du problème est une chose, changer ses schémas de comportement en est une autre. Ce que je constate dans les relations qui ne fonctionnent pas bien, c'est qu'il y a de la tristesse de part et d'autre. Cette personne, que nous souhaitions aimer pour toujours, nous empoisonne désormais l'existence. (Si elle nous ennuie, c'est encore pire, mais cantonnons-nous à la mauvaise humeur pour le moment). Derrière les luttes de pouvoir et l'hostilité, signes les plus manifestes de notre mécontentement, se cache une profonde tristesse, due à des attentes déçues. La situation dans laquelle on se trouve n'est pas celle que l'on attendait.

Or peut-on citer une période dans l'histoire de l'humanité où l'absence de conflits aurait eu des conséquences fâcheuses ? La réponse est évidemment négative. Mais c'est un temps révolu. Les États-Unis sont en guerre ; les violences entre automobilistes sont banales ; les médias nous présentent une profusion d'images de violence et, parmi les sports que nous préférons regarder, il y a des voitures qui se percutent et des hommes qui frappent d'autres hommes sans aucune raison. L'histoire des États-Unis, et aussi l'Histoire du monde, est jalonnée de conflits incessants, pour la plupart religieux. Nous vivons dans une société qui compte plus d'armes à feu que d'êtres humains.

En réalité, il me semble que, derrière cette agressivité si manifeste et si souvent encouragée, omniprésente dans nos vies, se cachent deux sentiments infiniment plus difficiles à exprimer : celui d'avoir peur et d'être malheureux. Ces deux sentiments humains largement répandus sont considérés comme des signes de faiblesse et on ne les supporte pas longtemps. Un moyen d'y échapper consiste à trouver un coupable. Une fois la cible trouvée, on peut rejeter la responsabilité de notre malheur sur quelqu'un. Dès lors, on devient une victime, statut qui comporte divers avantages. Le principal est la conviction que ce qui nous est arrivé n'est *pas de notre faute*. Cela équivaut à un permis de se plaindre qu'on peut aisément aujourd'hui rendre public. Je me souviens de l'époque où j'ai découvert, à l'âge adulte, que j'avais été adopté. À la confusion identitaire et à l'appréhension accompagnant cette révélation choquante s'est mêlé une satisfaction perverse : celle de me dire qu'après des années passées avec le statut d'homme blanc issu d'un milieu privilégié, j'appartenais désormais à une minorité lésée, celle des adultes ayant été adoptés. Je me suis mis à protester publiquement contre les obstacles juridiques m'empêchant de découvrir l'identité de mes parents biologiques, je me suis insurgé en déclarant injuste qu'on me prive de l'histoire médicale de ma famille d'origine. J'ai essayé, sans succès, d'obtenir, auprès de mon État, l'ouverture des dossiers d'adoption aux adultes recherchant leurs parents biologiques ; et j'étais outré que les journaux couvrant toute cette histoire continuent à parler de nous comme d'« enfants adoptés ». Bref, j'étais en colère.

Ce combat a fini par me lasser et à l'instar de beaucoup de personnes adoptées avant et après moi, j'ai fini par effectuer des recherches de mon côté, qui m'ont permis de retrouver ma mère biologique. Plus tard, j'ai compris que les difficultés qui ont accompagné cette quête ont ajouté à l'émotion des retrouvailles, pour l'un et pour l'autre. Elle savait ce que j'avais dû traverser pour la retrouver. Quant à moi, ces recherches m'ont donné le temps de m'interroger sur mes véritables motivations dans cette démarche et de surmonter la tristesse liée à cet abandon, remontant à bien longtemps. Toutefois, je ne saurais nier la satisfaction que m'a procuré le sentiment d'appartenir à une minorité opprimée – du moins pendant quelque temps.

Alors, la prochaine fois que vous serez hors de vous, surtout si votre colère est dirigée contre une personne dont vous aimeriez être plus proche, demandez-vous si ce sentiment ne se substitue pas à un autre, comme par exemple un sentiment de perte ou d'impuissance. Demandez-vous également s'il n'existe pas quelque chose que *vous* puissiez faire, afin de faire évoluer la situation. Si vous ne pouvez changer les gens qui vous entourent, vous pourrez au moins avoir la satisfaction de les surprendre.

Agir est une forme d'éloquence

J e me trouvais au poste de commandement avancé de mon régiment lorsque la radio a annoncé qu'un hélicoptère était en chemin pour le 93ᵉ hôpital, avec un blessé à bord. J'ai sauté dans ma jeep pour me rendre à Long Binh. Je suis arrivé au moment où l'hélicoptère se posait sur l'asphalte. Deux hommes attendaient avec un brancard. Je les ai rejoints, pour les aider à soulever le mitrailleur. Touché à l'abdomen, il a murmuré qu'il ne pouvait plus bouger ses jambes. Les deux brancardiers l'ont attaché rapidement, avant de regagner la piste en courant. J'ai commencé par les suivre, puis je me suis retourné en direction de l'hélicoptère. Kurland me regardait et j'ai cru voir une interrogation dans son regard. Je savais que Heyser serait sur la table d'opération dans quelques minutes et que je ne pouvais rien faire de plus pour lui. J'ai donc fait demi-tour. En grimpant dans l'avion par la porte ouverte, mes bottes ont glissé dans le sang du blessé. Kurland a procédé au décollage. J'ai rebranché la radio, qui était reliée au poste de commandement. « Il me faut un mitrailleur, TOUT DE SUITE ! Arrivée prévue dans trois minutes. »

Au moment où nous avons atterri dans une tempête de sable, un jeune homme est arrivé en courant vers nous, son casque à la main. Il a sauté à bord de l'hélico, avant de blêmir en voyant le sang sur le siège, devant la mitrailleuse. Il s'est assis, il s'est attaché et il a vérifié l'arme. Nous avons décollé à nouveau, pour retourner sur le terrain. Kurland a appelé l'un des gars sur place. « Faites-moi un compte rendu », a-t-il crié.

« OK, patron, on ne se fait plus tirer dessus. On dirait qu'ils se sont presque tous tirés. Par contre, on a deux types à découvert. »

« Que font-ils ? »

« Rien, ils sont installés sous un arbre. »

« OK, soyez-y dans cinq minutes. »

Le sommet de la colline où nous avions essuyé les tirs avait été pulvérisé. L'armée de l'air était semble-t-il passée par là : les arbres étaient détruits, le sol couvert de cratères. Arrivés à 25 m de hauteur, nous avons vu deux de nos gars décrivant des cercles et deux Cobra tournant au-dessus d'eux. Kurland a ralenti. Aucun doute possible : il y avait bien deux types, vêtus de noir, appuyés contre un arbre, au milieu de ce paysage lunaire. Ils ne semblaient pas armés et ils ont tourné la tête dans notre direction en nous voyant passer. « Tue-les », dit Kurland. « OK », a répondu l'un des pilotes de Cobra, en orientant son arme dans leur direction.

« Attends, Frank », ai-je dit par radio. « Ils sont HS. Pourquoi on n'irait pas les chercher ? » Juste à ce moment-là, le Cobra a fait feu et l'endroit où les hommes étaient assis a explosé dans un nuage de poussière.

« On dirait qu'il est trop tard, docteur. »

« Allez, on se pose et on va voir », ai-je répondu, sachant qu'il était incapable de résister à un tel défi, surtout lancé par un médecin.

Il a lancé : « Cessez le feu et couvrez-nous. On va les chercher. »

Au pied de la colline, il y avait une petite clairière, à peine assez grande pour permettre à l'hélico de s'y poser. Nous savions que repartir de là serait encore plus difficile, surtout avec un chargement plus lourd à bord. Nous avons laissé le copilote et le chef de cargo dans la cabine. Kurland, moi-même et le pauvre mitrailleur qui, une demi-heure plus tôt, était tranquillement en train de déjeuner, sommes partis au sommet de la colline.

La forêt était dense et ce n'est qu'en émergeant sur la zone découverte, au sommet de la colline, que nous avons entendu des tirs de sniper au-dessus de nous. Qui sait d'où cela venait, mais nous n'avions aucun moyen de communiquer avec les hélicoptères de combat qui tournaient au-dessus de nos têtes. Kurland et le mitrailleur étaient munis de M16. Moi, j'avais ma trousse de secours et ma phrase en vietnamien bien rôdée, que je me préparais à prononcer au cas où je serais fait prisonnier : « *Toi la bac-si* ». Est-ce que cela intéressait vraiment les Viêt-Cong de savoir que j'étais médecin ? J'en doutais…

En approchant des deux corps, installés sous l'arbre, j'ai vu, à ma plus grande surprise, l'un d'eux agiter sa main dans notre direction. Le mitrailleur a machinalement ouvert le feu, manquant sa cible. « Allez », lui ai-je dit, « est-ce qu'ils ont vraiment l'air prêts à nous attaquer ? » En approchant, nous avons constaté que l'un des deux hommes avait été touché à la cuisse par les tirs du Cobra. L'autre, comme par miracle, était indemne et nous fixait avec le regard stoïque et résigné d'un homme convaincu que sa dernière heure est venue. L'homme blessé, plus optimiste, nous a fait un signe signifiant qu'il voulait de l'eau. Je lui ai passé ma gourde et il a bu, se montrant reconnaissant.

« Allez, on dégage », a lancé Kurland, en faisant signe au Viêt-Cong indemne de se relever, tandis que je bandais rapidement le blessé, avant de l'aider à se redresser. À cet instant, il s'est retourné pour prendre un sac en tissu. À l'intérieur, j'ai vu des médicaments, des bandages et des carnets. Apparemment, l'homme appartenait au corps médical. Nous avons entamé lentement la descente, le mitrailleur nerveux fermant la marche. Le Viêt-Cong blessé, qui s'appuyait contre moi, n'avait pas l'air de souffrir. Au contraire, à chaque fois que je le regardais, il me souriait, comme si notre rencontre sur cette colline était providentielle, laissant dernière nous l'enfer.

L'hélicoptère nous attendait et nous avons décollé. Lors du décollage, l'hélice principale a touché plusieurs branches et, l'espace d'un instant, nous avons cru que l'avion allait prendre feu. Nos prisonniers semblaient emprunter ce mode de transport aérien pour la première fois de leur vie. À notre arrivée au poste de commandement du régiment, je me suis accroché avec les gars des renseignements, qui voulaient interroger le blessé avant de le faire soigner. Comme toujours dans ce type de conflits, j'ai perdu et l'homme a été conduit à l'interrogatoire. Avant qu'on l'emmène, il m'a souri une fois de plus et il m'a tendu son sac. À l'intérieur, il y avait des carnets contenant de magnifiques croquis anatomiques, représentant notamment le cerveau et le système circulatoire. Je les ai toujours. J'espère qu'il a survécu à la guerre. Si jamais il lit ces lignes, j'aimerais beaucoup qu'il me fasse signe, pour que je puisse lui rendre ses dessins.

7

Mieux vaut être dans l'action que dans l'attente

J e demande souvent à mes patients : « Dans quel but vous économisez-vous ? » Les gens passent beaucoup de temps à préserver leur énergie, généralement en attendant qu'un événement extérieur se produise pour les inciter à passer à l'action. Par moments, ils donnent l'impression d'attendre le Messie. J'ai toujours pensé que ceux qui pensent que son arrivée est imminente ont bien de la chance. Non seulement parce qu'ils seront sauvés, tandis que le reste d'entre nous souffrira, mais aussi parce qu'ils disposent d'une excellente excuse pour ne s'engager dans rien, passant le plus clair de leur temps à prier en attendant d'aller directement au paradis.

Ceux qui ne peuvent pas mettre en avant leur foi doivent trouver d'autres excuses pour justifier leur inaction. Pour certains, c'est très facile. En thérapie, la passivité est l'ennemie du progrès. Le modèle médical conventionnel, où le médecin donne des consignes au patient et lui prescrit des médicaments ne fonctionne pas pour l'individu qui désire prendre un nouveau départ dans la vie. Vouloir changer sa vie en profondeur et identifier ce qu'on veut voir évoluer dans notre conception du monde prend beaucoup de temps – comme la plupart des apprentissages. De surcroît, une telle tâche est souvent inconfortable ; il n'est pas aisé d'avoir un regard lucide sur les événements et les influences qui ont fait de nous ce que nous sommes, ni d'accepter que notre inertie ou la force de l'habitude nous empêche d'être ce que nous avons envie d'être.

Il y a quelques années, j'ai écrit un livre exposant diverses idées sur la condition humaine. Après la sortie de l'ouvrage, nombreuses furent les personnes, vivant assez loin de chez moi pour certaines, qui sont venues me consulter. Ayant trouvé dans mon livre des idées qui les ont touchées ou intéressées, elles avaient de fortes attentes à mon égard. L'une d'elles m'a dit : « J'ai vu beaucoup de psy ; vous êtes ma dernière chance. » Flatté, je pensais pouvoir offrir à ce patient une expérience nouvelle, qui conduirait à une transformation. Or, déçu, il a interrompu la thérapie au bout de quelques séances, comme la plupart de ces autres nouveaux patients. Je ne leur offrais pas le salut.

John Updike a écrit que dans sa jeunesse il avait souvent été déçu, en rencontrant des écrivains dont il admirait l'œuvre. Il avait découvert des alcooliques, d'impénitents bavards imbus d'eux-mêmes ou des personnalités bien éloignées des artistes éclairés qu'il avait imaginés. Par la suite, il est devenu écrivain et, lors de rencontres avec des lecteurs, il a vu la même déception dans les yeux de ceux qui brûlaient de faire sa connaissance. Il ne se sentait ni assez spirituel ni assez profond pour répondre aux attentes de ceux qui admiraient son œuvre.

Ceux qui cherchent des conseils auprès d'un thérapeute risquent fort de connaître une déception comparable. L'enjeu de la thérapie, pour chaque individu, est de mobiliser sa propre capacité de changement – considérable au demeurant ! –, en lui permettant de préciser ses idées sur ce qu'il veut réellement et sur la meilleure manière d'y parvenir. Il serait vain de croire que les consignes ou les analyses d'un tiers réussiront à le sauver.

De manière générale, on ne se résout au changement que lorsque rester tel qu'on est devient douloureux, jusqu'à l'insupportable. On commence alors à comprendre que la vie n'est pas une répétition. Notre temps sur terre est compté – même si personne ne sait pour combien de temps. Chaque jour, des gens de tous âges meurent, laissant souvent quantité de choses inaccomplies.

Nous avons tous une petite idée de la vie que nous voudrions avoir. Les images de réussite dont nous sommes assaillis sont généralement à la fois superficielles et inaccessibles. Des valeurs telles que la ténacité et la détermination ne jouissent pas de l'admiration qu'elles méritent. En réalité, la société de consommation célèbre volontiers les solutions rapides, le médicament qui soulage, le remplacement du vieux par du neuf, le triomphe de la forme sur le fond. Omniprésents comme l'air que l'on respire, ces messages nous brouillent l'esprit et ne nous aident pas sur le chemin du bonheur.

J'aime bien poser à mes patients cette question : « Vous semblez hésiter à changer votre manière de faire : pensez-vous être quelqu'un de fragile ? » La perspective du changement étant presque toujours anxiogène, il n'est guère étonnant que les gens l'éloignent d'eux le plus possible. Ne nous répète-on pas que, dans la vie, il est important de « savoir décompresser ». On nous dit de « ne pas se tracasser pour des peccadilles » et de « ne pas faire de vagues. » Rien d'étonnant, donc, que l'on finisse par considérer l'anxiété comme un sentiment anormal qu'il convient d'éviter. Une certaine industrie pharmaceutique s'attache à promouvoir l'idée selon laquelle aucun individu ne devrait avoir à subir de l'anxiété plus de temps qu'il n'en faut pour avaler un comprimé. À bien des égards, cette idée fort séduisante a servi de mot d'ordre à la prise en charge médicalisée de la souffrance humaine.

Récemment, j'ai reçu dans mon cabinet un patient, grand consommateur de médicaments, qui avait consulté une foule de psychiatres. Il m'a énuméré ses problèmes : « anxiété, dépression, trouble de déficit de l'attention, insomnie, apnée du sommeil et narcolepsie. » Bien évidemment, il prenait des antidépresseurs et des anxiolytiques. Par ailleurs, il prenait également de la méthamphétamine pour soigner son trouble de l'attention et des somnifères pour l'aider à dormir. Il avait subi une intervention chirurgicale du palais mou, pour résoudre son problème de ronflement, et il dormait chaque nuit branché à une machine qui lui permettait de ne pas cesser de respirer dans son sommeil. La psychothérapie ne l'intéressait pas vraiment. Tous ses problèmes avaient été pris en charge médicalement…

Nous sommes constamment incités à consommer des médicaments non seulement par les laboratoires pharmaceutiques, mais aussi par les mutuelles de santé qui contrôlent le remboursement de la santé mentale. Nous avons en partie perdu notre capacité à assumer notre vie et à composer avec les changements d'humeur inévitables, inhérents à notre existence.

Indéniablement, les médicaments apportent souvent une aide précieuse dans le traitement des maladies mentales : schizophrénie, troubles bipolaires, dépression. Ils peuvent aussi servir ponctuellement pour les problèmes de l'existence : anxiété ponctuelle, deuil, stress post-traumatique.

Mais, lorsque les psychiatres se contentent de prescrire des médicaments pour soulager le malaise psychique de leurs patients, c'est qu'ils ont abandonné un aspect essentiel de leur identité professionnelle. Ils convainquent leurs patients que la meilleure manière de régler leurs problèmes personnels est de suivre passivement leur traitement médicamenteux. Personnellement, je préfère inciter les gens à se défaire de leur passivité, à cesser d'attendre des réponses venant de l'extérieur, à mobiliser leur courage et leur détermination pour tenter d'atteindre par eux-mêmes les changements qui les rapprocheront de leurs proches et de l'individu qu'ils ont envie d'être.

8

Si vous avez quelque chose à dire,
dites-le maintenant car le risque
est que ce ne soit jamais

Lorsque ma plus jeune fille a obtenu son baccalauréat, je lui ai écrit la lettre suivante :

Ma chère Emily,

La période qui s'ouvre désormais devant toi ne va pas être facile ; tu vas entendre une multitude de discours te donnant tous force conseils (que tu ferais bien d'oublier aussi vite), t'incitant à « aspirer à l'excellence ». Certes, cet objectif est tout à fait louable, mais parfois, j'aimerais aussi que quelqu'un loue les vertus du travail bien fait tout simplement. On rencontre fréquemment tant de négligences et d'incompétences que c'est un plaisir de trouver des gens suffisamment bons dans ce qu'ils font.

Tout est aujourd'hui exagéré et faussé : on est proclamé « artiste » en sachant à peine chanter, rien ne sert d'avoir du talent pour devenir écrivain et, bouquet final, nos dirigeants manquent à la fois d'intelligence et de moralité. Cette détestable tendance, alimentée par un culte de la célébrité, non seulement nous rend cyniques et nous entraîne vers le mauvais goût, mais elle pervertit notre jugement et nous empêche de reconnaître ce qui se fait de bien. Nos héros changent, parce que nos critères de valeurs ont changé aussi. C'est l'une des raisons pour lesquelles j'aime tant le sport. S'il est vrai que les sportifs professionnels sont honteusement surpayés, et souvent imparfaits sur le plan humain, au moins montrent-ils de véritables compétences, parfois bien au-delà du simple exploit physique.

Tu le sais, je suis un grand admirateur de Charles Lindbergh. Indéniablement, il lui a fallu un courage considérable pour entamer la traversée de l'Atlantique dans un avion monomoteur, en 1927. Mais ce que j'admire le plus chez lui, c'est qu'il s'est posé sur les côtes irlandaises à 5 kilomètres seulement de l'endroit prévu, après une nuit entière dans les airs à parcourir presque 2 500 kilomètres au-dessus de l'océan. Il a sans doute aussi eu de la chance, mais ce qu'il a accompli m'apparaît comme une performance hors du commun. Si tout le monde faisait aussi bien son travail, le monde fonctionnerait de manière plus harmonieuse. (Comme moi, Lindbergh avait une épouse extraordinaire !) L'antisémitisme qu'il a affiché par la suite a en partie été racheté par son engagement en faveur de l'environnement. Cet homme a vieilli avec élégance.

Toi et moi, nous sommes des sceptiques et remettons en question l'autorité. Dans des situations où la survie des individus est en jeu (dans un canot de sauvetage, en pleine nature ou au combat), on découvre que la véritable autorité n'a rien à voir avec l'arbitraire et l'à-peu-près. Elle est l'affirmation de la suprématie du savoir sur l'ignorance.

Ceci est un plaidoyer pour le travail bien fait. Seuls quelques rares individus sont capables d'excellence. Mais il nous incombe à tous de mener à bien notre vie, de nous appliquer dans le travail que nous avons choisi et de prendre soin de nous-mêmes et de ceux qui dépendent de nous (c'est aussi indéniablement un facteur de longévité).

Parmi les thèmes qui me tiennent à cœur, il y a aussi l'importance que j'accorde à l'humour dans la vie. Mais est-ce bien la peine de l'aborder ici, sachant que tu as toujours aimé rire et faire rire les autres. Souvent, le soir, ta mère et moi, nous nous regardions en souriant lorsque, de derrière la porte fermée de ta chambre, nous t'entendions discuter au téléphone et ponctuer tes phrases de rires tellement communicatifs ! Quand je pense à ton départ de la maison, parmi les nombreuses choses qui me manqueront, je suis déchiré à l'idée de ne plus t'entendre rire. Lorsqu'il m'arrivait par moments de céder au découragement, ton optimisme irrépressible et ta gaieté m'ont souvent donné de la force.

Quelqu'un a dit : « On ne possède pas le sens de l'humour, c'est lui qui vous possède. » Cette phrase me semble très juste. Dans les pires situations, j'ai souvent vu des êtres humains surmonter leurs peurs grâce au rire. Vous vous souvenez de la fausse une dans la presse, qui a fait rire l'Amérique après le 11 septembre ? « L'Amérique est plus forte que jamais, déclarent les officiels du Quadragone. »

On peut rire de tout. (À l'occasion, lis *Modeste proposition* de Jonathan Swift.) Tu le sais, j'aime rire des gens et des sujets sérieux. La mort, par exemple, montre que la vie, tout en étant intrinsèquement absurde, nous est donnée pour qu'on en fasse quelque chose dans un temps limité. Au bout du compte, nos idéaux les plus nobles, nos passions les plus chères et nos rêves les plus précieux finissent tous en poussière. Le fait que, malgré tout, nous puissions leur attacher de l'importance et rire de leur caractère éphémère est, à mon sens, une marque de courage. J'adore aussi une autre forme d'humour, qui repose sur l'interversion. Mon exemple préféré est une phrase d'Abbie Hoffman, qui date des années 1960 : « La véritable question, concernant la liberté de parole, n'est pas de savoir si l'on peut crier « Au feu ! » dans un théâtre bondé, mais si l'on peut crier « Théâtre ! » dans un feu bondé. »

Une définition de l'être humain consiste à dire que nous sommes le « seul animal qui rit ». Bien évidemment, c'est peut-être là une idée erronée parmi tant d'autres (peut-être après tout les chiens rient-ils *de nous*, sans que nous percevions leur humour). Cependant, je crois que ce qui nous démarque de toutes les autres créatures, c'est la conscience de notre mortalité et notre capacité à nous prendre ou non au sérieux.

La grâce/la beauté existe sous diverses formes (physique, intellectuelle, sociale, spirituelle), chacune de ces formes fascine à sa manière. Mais ce qui importe vraiment est de réussir à surmonter les pertes irréparables et affronter la vie dans tout ce qu'elle a d'absurde et de confus, tout en conservant sa capacité à éprouver de la joie, à rire et à croire au sens de nos combats.

Avec toute ma tendresse,

Papa

Nos peurs nous définissent

La peur est un moteur important de notre comportement, qui nous conduit rarement là où nous le souhaitions. S'il y a bien souvent, semble-t-il, une prédisposition biologique pour les troubles anxieux, il est vrai aussi que l'anxiété peut s'apprendre. Les enfants qui grandissent dans des familles où l'un des parents, voire les deux, montre beaucoup d'appréhension dans tout sont souvent eux-mêmes sujets à des peurs irrationnelles. Le nombre d'adultes ayant peur de prendre l'avion, de rester dans des espaces fermés, de traverser un pont, voire de prendre le volant, est incroyablement élevé. Souvent, ce qui apparaît comme une phobie cache en réalité une perception exagérément dangereuse du monde.

Un jour, lors d'un entretien avec les parents d'un adolescent anxieux, j'ai demandé si d'autres membres de la famille souffraient de peurs irrationnelles. La mère m'a répondu : « Non, nous sommes simplement prudents. Par exemple, nous évitons de prendre une douche par temps d'orage. » Lorsque je lui ai demandé si elle avait jamais entendu parler de quelqu'un qui s'était fait foudroyer sous la douche, elle m'a répondu : « Non, mais cela pourrait arriver. » C'est cette attitude vis-à-vis d'événements improbables qui incite les gens à jouer au loto. Et ceux qui redoutent des événements qui ne se produiront jamais transmettent souvent cette peur aux générations suivantes.

Le monde dans lequel nous vivons est dangereux et il est important de transmettre à nos enfants la capacité d'évaluer les risques qui les menacent. Si nous arrivons à les convaincre d'attacher leurs ceintures de sécurité, de porter des casques à vélo, de ne pas fumer, de ne pas boire plus que de raison, de ne pas jouer avec des armes à feu et de conduire prudemment, nous les aurons préservés des principaux dangers menaçant leur intégrité physique. Et si l'on tient vraiment à être de bons parents, on peut aussi ajouter une ou deux leçons sur la manière de reconnaître les gens susceptibles de leur briser le cœur.

La définition du courage, c'est la capacité à affronter ses peurs. Les États-Unis aiment célébrer l'héroïsme. Or, régulièrement, ce pays réagit aux événements comme un patient souffrant d'un trouble anxieux. Au lendemain du 11 septembre, un magasin a ouvert à New York, proposant à ses clients des vêtements de protection contre une menace biologique, des purificateurs d'eau, des antibiotiques et des parachutes permettant de sauter d'un gratte-ciel. Il a fermé ses portes lorsque la peur de subir une nouvelle attaque terroriste s'est muée en une véritable psychose. Toutefois, le simple fait qu'il ait existé atteste de la puissance de nos peurs.

Les médias et, particulièrement, les chaînes qui diffusent en continu l'information et passent leur temps à nous alarmer, ont leur part de responsabilité dans nos comportements irrationnels. Les événements qui nous font réagir permettent d'évaluer la place que la peur occupe dans nos vies. Par moments, on pourrait penser que la mission essentielle des médias consiste à nous faire peur. Peut-être s'agit-il simplement d'un moyen de capter notre attention. Pourtant, beaucoup de reportages, surtout dans les journaux locaux, semblent davantage conçus pour inquiéter que pour informer.

Aux États-Unis, un bon indicateur de nos angoisses est la vente d'armes. Après le 11 septembre, les ventes ont explosé dans l'ensemble du pays, même si l'achat d'une arme à feu, pour se prémunir d'une attaque terroriste, semble totalement absurde. Lorsque nous nous sentons menacés, nous achetons des armes. C'est ce qui fait de nous des Américains.

Pour la plupart, nous menons des existences protégées, dans un univers aseptisé, où les risques sont minimisés. Lors de mes entretiens avec des patients anxieux et déprimés, je leur demande souvent quel est le plus grand risque qu'ils aient couru. Les gens sont déroutés. Pour la plupart, il ne leur est jamais venu à l'esprit de prendre des risques. Pourtant, cette question n'est pas dépourvue d'intérêt. Car la dépression est un état, somme toute, rassurant que beaucoup d'individus, même s'ils se sentent très mal, hésitent à quitter. Mobiliser tout son courage pour dépasser cet état constitue, dans une large mesure, le travail de la psychothérapie.

Les Amérindiens ont un proverbe qui prend ici tout son sens : « Si l'Homme était éternel, le courage n'existerait pas. » C'est la conscience de notre mortalité qui nous rend humains, qui nous contraint à affronter l'inévitable perte de nous-mêmes et de ceux que nous aimons, à contempler le grand mystère de la vie avec la détermination de vivre de notre mieux, aussi longtemps que possible, sans peurs.

Lors de mes entretiens avec des parents, ces derniers font souvent état de leurs peurs de voir leurs enfants exposés à des dangers dont ils ne peuvent les protéger : la drogue à l'école, la violence dans les films, le sexe à la télévision, des rencontres dangereuses dans les centres commerciaux et sur Internet. Je leur demande alors quel est impact, à leur sens, de leur inquiétude sur leurs enfants. Tous les ans, la police de ma ville propose aux personnes qui le souhaitent de passer aux rayons X les sucreries qu'on s'offre pour Halloween, pour s'assurer (en vain jusqu'à ce jour) qu'elles ne contiennent pas la mythique lame de rasoir cachée dans une pomme. Est-ce ainsi que nous allons assurer à nos enfants une vie sereine dans leur propre environnement ? N'est-il pas paradoxal de ne pas se rendre compte, dans notre société volontiers « centrée sur l'enfant », que cette obsession sécuritaire est terriblement anxiogène. Nos fréquentes manifestations de patriotisme et les hommages rendus à ceux que nous avons érigés en héros nous permettent d'être courageux « par procuration » ; loin de nous inciter à nous montrer exemplaires nous-mêmes, elles nous donnent bonne conscience en nous faisant tenir un drapeau ou déposer une gerbe. Ceci est particulièrement flagrant lors de cérémonies où l'on voit des dirigeants, qui ont à leur époque évité l'armée, rendre solennellement hommage à ceux qui ont eu le courage (ou la malchance) de mourir pour nous. Nous admirons ces sacrifices, sans pouvoir imaginer qu'on puisse nous en demander.

D'une certaine manière, la capacité de l'être humain à supporter les incertitudes de la vie, sans céder à l'anxiété et à la dépression tient du miracle. La majorité d'entre nous y arrive, la plupart du temps, ce qui est à la fois un exemple de déni constructif et la reconnaissance que l'autre solution, celle de vivre dans la peur, vide l'existence de ses plaisirs.

Notre peur de l'intimité est source d'angoisses les plus destructrices. Certaines personnes feraient n'importe quoi pour ne pas s'exposer aux risques de s'ouvrir entièrement à un autre être humain. Je ne cesse d'entendre des gens seuls expliquer qu'il faut se prémunir contre les blessures qu'on pourrait nous infliger. Sur les sites de rencontre sur Internet, la peur du mythique tueur armé d'une hache est omniprésente, décourageant les contacts. Ceux qui ont été déçus en amour craignent d'être de nouveau rejetés. Entre la solitude et les risques inhérents à toute relation, on choisit volontiers la première.

Nous avons fini par nous habituer à la peur. Avant la menace terroriste, il y avait les abeilles-tueuses, les attaques de requins, les pandémies de grippe, les prédateurs sexuels et le risque nucléaire. Les Hommes n'ont jamais été à court de peurs ni d'ennemis qui leur voulaient du mal. Nous dépensons de l'argent pour voir des films d'horreur ; en les regardant, nous communions dans la peur, ce qui constitue peut-être un besoin profondément humain.

Sur ce plan, les habitants de l'État d'Israël auraient bien des choses à nous apprendre : ils vivent au quotidien avec une menace terroriste qui nous paralyserait (et qui peut-être nous paralysera un jour). Essayons un instant d'imaginer ce que serait notre vie bouleversée par plusieurs explosions dans des centres commerciaux ou par la libération d'une biotoxine dans l'air. En réalité, nous devons trouver le courage de regarder en face ce qui menace véritablement notre bien-être et cesser de nous faire peur avec des fantômes.

Une patiente m'a raconté l'anecdote suivante : en 2003, elle a assisté à un concert du Baltimore Symphony Orchestra. L'orchestre était en train de jouer un concerto pour violon de Brahms, lorsque, soudain, toutes les lumières se sont éteintes. Dans cette obscurité totale, sa première pensée a été que Baltimore était la cible d'une attaque terroriste, inquiétude sans aucun doute partagée par d'autres personnes présentes. Elle était incapable de dire combien de temps la salle est restée plongée dans le noir, avant que le groupe électrogène ne prenne le relais. Sans doute s'est-il agi de quelques secondes seulement, même si le temps lui a paru plus long. Ce qui l'a sidéré, c'est que le concert n'a pas été interrompu. Dans le noir, sans voir ni le chef d'orchestre, ni leurs partitions, les musiciens ont continué à jouer, sans la moindre erreur. Dans l'assistance, personne n'a fait de bruit. Et à la fin du morceau, l'ovation du public a été particulièrement intense.

Il est rare d'avoir à manifester son courage au péril de sa vie. Toutefois, c'est à travers d'innombrables petits actes du quotidien que nous pouvons rendre service à notre pays et aux autres êtres humains, en contrecarrant l'anxiété ambiante. Les attitudes et les comportements que nous adoptons collectivement, bien mieux que tout acte militaire, détermineront à terme l'issue de la lutte contre le terrorisme, dans laquelle nous sommes engagés. Dans ce processus, il se pourrait que nous trouvions en nous des ressources dont nous pouvons réellement être fiers.

10

Les meilleurs beaux-parents sont ceux qui jouent le moins aux parents

À une époque où les divorces et les remariages sont monnaie courante, quantité de gens élèvent des enfants qui ne sont pas les leurs – ce qui ne se passe pas toujours sans heurts. En entretien, les enfants de divorcés affirment en grande majorité que leur vœu le plus cher est de voir leurs parents réunis à nouveau, même s'ils savent que leur couple ne fonctionnait pas. S'il est courant que les adultes se raisonnent en disant qu'élever des enfants dans un foyer avec d'interminables conflits entre les parents n'est pas une bonne chose, les enfants veulent presque tous voir leurs parents réunis et nourrissent des fantasmes de retrouvailles longtemps après qu'il soit clair que ceci ne se produira pas.

Le signe le plus visible que la séparation est définitive est le remariage de l'un des parents – événement qui, au demeurant, est aussi souvent difficile pour les adultes concernés. Je me souviens du jour où deux ans après notre divorce, mon ex-femme m'a annoncé qu'elle se remariait. Nous avions fait notre possible pour rester en bons termes pour le bien des enfants. Par conséquent, la meilleure réponse que j'ai pu trouver à l'annonce de son mariage était celle-ci : « Tu sais, nous nous sommes rencontrés, nous sommes tombés amoureux, ensuite nous nous sommes mariés, ensuite nous avons eu des enfants, ensuite nous avons cessé de nous aimer et nous avons divorcé. Puis je me suis remarié, et maintenant, c'est toi qui te remaries. J'ai le sentiment que nous nous éloignons de plus en plus l'un de l'autre. »

Si le divorce s'est passé dans des conditions difficiles et si les parents ont pris les enfants en otage, le risque est encore plus élevé qu'ils aient du mal à accepter toute nouvelle figure parentale. « Tu n'es pas mon père ! » ou « Tu n'es pas ma mère ! » : voilà ce que de nombreux beaux-parents s'entendent dire, quand ils tentent d'imposer des règles. Ces protestations ne sont ni plus ni moins que l'expression d'un mal-être, chez ces enfants qui ont perdu toutes leurs illusions à la suite du divorce de leurs parents. Les allers et venues chez Maman et chez Papa inhérents au partage de l'autorité parentale, les conflits de loyauté inévitables quand l'acrimonie persiste entre les deux adultes qu'ils aiment le plus au monde sont autant de raisons d'être en colère. Il est plus facile, et plus sûr sur le plan émotionnel, d'être en colère contre un beau-parent que contre l'un de ses parents.

Les beaux-parents, quant à eux, doivent généralement faire face à leurs propres difficultés, celles d'aimer un enfant qui n'est pas le leur, et à leurs frustrations quant au rôle ambigu qu'on leur demande d'assumer. En règle générale, ils n'ont pas les mêmes idées sur l'éducation que leur conjoint et ils doivent de surcroît composer avec les réactions souvent hostiles d'enfants dont les vies ont été totalement chamboulées.

Dans les familles recomposées, où les enfants, nés d'une précédente union de l'un et de l'autre conjoint, vivent ensemble, les choses sont encore plus compliquées ; le « vrai » parent étant souvent accusé de favoriser ses propres enfants.

Alors, quelle est la meilleure stratégie à adopter face à des enfants qui ne sont pas les vôtres ? A partir de ma propre expérience, je dirais que la meilleure approche de la « beau-parentalité » est de laisser le parent gérer toutes les questions de discipline. Cela exige parfois de se retenir d'intervenir, surtout face à des provocations, ou si l'on considère que le parent fait preuve de laxisme. « Que suis-je censée faire si il/elle fait son intéressant quand mon mari n'est pas là ? » Réponse : rien du tout. Ce n'est pas votre problème. Les interventions du beau-parent ne seront pas acceptées par l'enfant. Et le conflit qui en découlera ne permettra pas que s'établisse, entre le beau-parent et l'enfant, une relation fondée sur le respect et l'affection.

Pourquoi, à votre sens, le personnage de la vilaine belle-mère apparaît-il dans tant de contes de fées ? Parce que ce problème se pose depuis la nuit des temps et que les enfants ont toujours relégué les beaux-parents au second plan. Et quel est celui qui est le plus visé quand il s'agit d'agressions sexuelles sur des enfants ? Le beau-père. Là aussi, on considère que l'on ne peut aimer l'enfant d'un autre autant que le sien.

Il va sans dire que le beau-parent ne doit sous aucun prétexte critiquer l'un ou l'autre des parents de l'enfant. L'amertume provoquée par des remarques de cet ordre se comprend aisément. Les enfants sont généralement très protecteurs vis-à-vis de leurs parents et se mettent aussitôt sur la défensive s'ils ont le sentiment que le beau-parent tente de remplacer le parent. Les mots à utiliser pour désigner le beau-parent sont une question épineuse. Toute tentative de se faire appeler « papa » ou « maman » peut provoquer une résistance explosive chez l'enfant.

Dans la plupart des cas, la meilleure stratégie à adopter consiste à établir des relations amicales, qui ne font pas intervenir l'autorité et dans lesquelles l'adulte est disponible sur le plan émotionnel, tout en refusant d'entrer dans un conflit classique parent/enfant. Ce rôle sera laissé utilement au véritable parent de l'enfant. La plupart des beaux-parents qui arrivent à mettre en pratique cette approche ne se sentent aucune responsabilité pour corriger, enseigner, éduquer ou exercer tout autre rôle parental sur l'enfant. Lorsque je parle avec des adultes qui ont grandi aux côtés de beaux-parents, le plus beau compliment qu'ils puissent faire, c'est : « Elle ou il a toujours été là pour moi. » En d'autres termes, débarrassé du rôle de parent tenu de fixer des limites, le bon beau-parent est en mesure d'offrir à l'enfant une chose unique : le point de vue d'un adulte bienveillant, qui ne porte pas de jugements.

La plupart des livres qui s'adressent aux beaux-parents donnent toujours le même conseil, valable pour toutes les relations humaines : « Ça va être dur, ça va être stressant et ça va représenter du travail. Alors, retroussez vos manches et priez le bon Dieu pour qu'il vous donne du courage. » Je m'étonne de ne pas trouver dans ces livres des paroles comme : « La vie en général et les relations de qualité avec d'autres êtres humains en particulier n'ont pas besoin d'être compliquées. Au contraire : si elles le sont, vous seriez peut-être bien inspiré de réviser votre manière de faire. » Je me dis souvent que l'engouement actuel pour le développement personnel, devenu une véritable industrie, repose sur une vision du monde qui dit en substance : « La vie est dure et la mort lui succède. » Pour affronter une réalité si peu enthousiasmante, on a effectivement besoin d'être épaulé. Cette façon de voir fait vendre des livres, mais je crois aussi qu'elle n'incite pas les gens à avoir de l'ambition. En revanche, elle les stresse beaucoup. La façon dont on envisage son rôle de beau-parent va de pair avec sa philosophie de la vie. Si vous partez du principe que cela va exiger un travail de tous les instants, une discipline de fer et quantité de conflits à dénouer, les choses risquent de se passer comme vous les avez prédites. Si, au contraire, vous abordez cette situation de manière sereine, en faisant preuve d'une bonne dose d'humour et en mettant en avant votre capacité à entrer en relation avec votre prochain, vous pourriez bien arriver à la conclusion que côtoyer des enfants qui ne sont pas les vôtres n'est pas forcément l'expérience la plus pénible qui soit, malgré les « on-dit ».

Je tiens à préciser ici que quasiment tout ce que je sais des relations entre beaux-parents et enfants (et sur les autres formes d'amour) me vient de Claire, mon épouse.

11

*L'une des tâches les plus difficiles
dans la vie est de se voir soi-même
tel que les autres nous voient*

L a plupart des gens ont une sainte horreur des miroirs. Je crois que c'est parce que se regarder dans une glace provoque forcément de l'insatisfaction. Qui est cette personne ? Comment ai-je pu vieillir autant ? D'où viennent ces rides ? Et qui, hormis ma mère, pourrait aimer ce visage ? Rares sont ceux d'entre nous dont le physique est parfait et correspond aux critères conventionnels de la beauté ; nous n'aimons guère qu'on nous le rappelle.

Beaucoup de gens ne supportent pas leurs imperfections et sont prêts à dépenser beaucoup d'argent pour les camoufler ou les faire disparaître. Il en est de même pour notre prochain ; ce sont sur des aspects très extérieurs que nous jugeons d'emblée les gens. Sur les sites de rencontre, les internautes parlent de leurs centres d'intérêt et de l'activité qu'ils exercent, mais c'est sur leur âge et leur physique qu'ils sont choisis. (Notons qu'il y a ici une différence entre les hommes et les femmes : ces dernières s'intéressent davantage au métier qu'exerce l'homme qu'à son apparence physique.)

Lorsqu'on commence à connaître les gens, d'autres aspects de leur personnalité prennent davantage d'importance, heureusement. Malgré tout, la perception qu'on a de nous-même coïncide rarement avec celle que les autres ont de nous. Ainsi, la plupart des gens s'estiment honnêtes, fiables et capables d'empathie. Or mon expérience m'oblige à dire que ces qualités, au demeurant fort louables, ne sont pas uniformément réparties dans la population. En réalité, seule une minorité d'humains sait réagir aux adversités de la vie, au sein d'un groupe.

Un exemple : voici quelques années, un accident s'est produit dans le port de Baltimore. Une rafale de vent a fait chavirer un bateau-taxi avec une vingtaine de personnes à bord. L'accident s'est produit au début du printemps, à une période où l'eau est froide. Lorsque les bateaux de sauvetage sont arrivés sur les lieux, la plupart des passagers étaient installés sur le bateau retourné, tout en hurlant que des gens étaient prisonniers dessous. En bonne logique, on aurait dû leur demander pourquoi ils ne bougeaient pas, sachant qu'il y avait danger pour d'autres. Lorsque les sauveteurs ont fini par soulever le bateau, ils ont découvert trois corps dans l'eau, dont celui d'un enfant.

Qui de nous peut savoir comment il se serait comporté dans une telle situation ? Nous aimons imaginer que nous aurions fait preuve de courage, surtout lorsque des vies d'enfants sont en jeu. Toutefois, les exemples de réactions paniques face au danger sont suffisamment nombreux, pour nous demander si nous avons en nous les ressources nécessaires pour faire preuve d'altruisme.

Même dans des situations plus banales, n'impliquant pas de grands dangers, il est parfois difficile de trouver des individus capables de penser à autre chose qu'à leur intérêt personnel. Voici quelques années, en tant qu'expert auprès des tribunaux, j'ai eu à donner mon avis dans un différend entre deux parents ; il s'agissait, après les avoir entendus tous les deux, de se prononcer sur la garde des enfants. Au cours des entretiens, il était apparu que la mère démarrait une relation amoureuse avec une autre femme. Son mari essayait d'utiliser cette donnée contre elle, pour obtenir la garde des enfants. L'avocat du père me pressait de confirmer que c'était vrai.

J'ai pensé que mon éthique professionnelle me commandait de ne rien dire qui soit susceptible de blesser les parents ou les enfants. J'ai également considéré que sa liaison extra-conjugale n'avait rien à voir avec sa capacité à élever ses enfants. Par conséquent, j'ai refusé de répondre à cette question, en invoquant le secret professionnel. Le juge m'a rappelé d'un ton sévère qu'en vertu de la loi, les affaires de garde d'enfants faisaient partie d'une législation d'exception et qu'il pouvait m'« obliger » à répondre. J'ai regardé autour de moi, pour voir s'il y avait des instruments de torture, puis j'ai compris qu'il me menaçait de me faire comparaître devant la cour pour outrage et de m'envoyer en prison.

Ce que j'ai trouvé intéressant, c'est que ce juriste n'avait absolument pas pris la mesure de mon dilemme éthique. Cet homme était tellement habitué à voir des gens agir dans leur intérêt personnel qu'il ne pouvait concevoir que l'on puisse se comporter autrement. Pour lui, je n'étais qu'un obstacle au bon fonctionnement de son tribunal et il lui semblait inconcevable que je puisse risquer une peine de prison en le défiant. Consciente du danger, ma patiente m'a autorisé à témoigner. Toutefois, je m'interroge toujours sur le sens à donner au comportement de ce juge persuadé que tout peut s'obtenir sous la menace.

Quelles que soient nos bonnes intentions, nous sommes pris dans un jeu hypocrite. A quelles occasions prenons-nous conscience du clivage qui existe entre l'image que nous avons de nous-même et celle qu'ont de nous les autres ? Nous sommes atteints d'une sorte de cécité qui altère notre jugement sur nous-même ; il en ressort une auto-satisfaction permanente et une hostilité non moins permanente à l'égard de ceux qui sont différents de nous.

Bien évidemment, la thérapie attire des gens qui ont des problèmes. Hormis les patients venant consulter pour des questions d'anxiété et de dépression, tous les thérapeutes rencontrent quotidiennement des individus en souffrance, contraints de cacher leur véritable nature et leurs impulsions au monde qui les entoure. Les faillites conjugales provoquées par les infidélités, le refus d'offrir à l'autre l'affection que nous aimerions recevoir de sa part, un clivage constant entre nos paroles et nos actes : tout cela, de toute évidence, contribue à l'échec de nos relations avec les êtres les plus proches de nous.

De manière générale, les gens qui me parlent de leur enfance ne débordent pas vraiment d'admiration pour leurs parents. S'il y a bien un domaine où l'hypocrisie fait des ravages, c'est celui des relations familiales. C'est là que les enjeux sont les plus importants. Le clivage entre les paroles et les actes est particulièrement flagrant au sein des familles, là où il est le plus difficile de cacher ses véritables sentiments. Je suis impressionné par la fréquence des récits d'enfance où il est question de parents alcooliques, de mal-traitances verbales, physiques et sexuelles, de carence affective. Ceux qui ont subi ces traumatismes s'efforcent de mieux faire avec leurs propres enfants.

Est-ce trop demander aux êtres humains que de traverser la vie en faisant le moins de mal possible aux autres ? Rien ne sert d'affirmer que nous avons fait de notre mieux si ceux qui nous ont côtoyé pensent différemment. Peu importe aussi si nous leur avons fait mal à notre insu ou intentionnellement. Celui qui se fait écraser par un camion se moque des intentions du conducteur… De plus, il paraît impossible de ne pas se rendre compte de l'impact de nos comportements sur nos enfants. Être parent est un devoir sacré et nous emporterons tous dans la tombe le jugement que ces derniers portent sur nous.

12.

La force morale est ce qui définit le véritable croyant

« Or la foi est la garantie des biens que l'on espère, la preuve des réalités qu'on ne voit pas. »

Épître aux Hébreux, 11 :1

Grandir au sein d'une famille catholique, dans les années 1940 et 1950, prédisposait à exceller dans la gestion de la peur. J'avais le sentiment d'être contrôlé par l'Église, qui me promettait le salut, si je respectais ses interdits, restais docile à ses menaces de punition, vivant constamment dans la culpabilité.

J'étais effrayé à l'idée que ma pensée, ma parole et mes actes devaient toujours coïncider. Exprimer ses sentiments ou montrer une imagination débridée n'était pas recommandé. Au contraire, l'incapacité à les réfréner n'était pas simplement considérée comme le commencement du péché, mais comme le péché lui-même. L'Église était très bonne dans le marketing, en nous présentant le sacrement de la confession comme la seule planche de salut pour nos âmes immortelles.

Toutes les semaines, je me creusais la tête devant le confessionnal, pour être crédible dans l'énoncé de mes péchés, tout en veillant à ne pas trop en faire pour limiter la pénitence au rosaire. Je pensais qu'en dévoilant mes vrais secrets, je m'exposais au moins à une flagellation sur la place publique pour expier ces péchés. Régulièrement, je confessais avoir, par inadvertance, mangé de la viande un vendredi, péché qui présentait l'avantage d'être mortel et pouvant s'effacer avec quelques Pater et quelques Ave.

Une fois par an, en l'église Saint-Jean-l'Apôtre, la congrégation était tenue de faire le serment de respecter les interdits de la Ligue des Vertus, qui dressait la liste des livres et des films proscrits. C'est à cette occasion qu'un dimanche, à l'âge de seize ans, j'ai rompu définitivement avec la foi catholique de ma mère : j'ai refusé de me lever et de jurer de me conformer aux proscriptions de la Ligue.

En fait, l'adolescent, obsédé de sexe que j'étais, était déterminé à aller voir le film *Le banni*, qui venait de sortir. On y voyait Jane Russell grimper dans un lit, tout habillée, avec Billy the Kid (Jack Beutel). En vérité, à l'époque, c'était le soutien-gorge façon « pont suspendu » imaginé par Howard Hughes et porté par Miss Russel qui m'intéressait au plus haut point.

L'envie de voir un film peut sembler une raison bien triviale pour rompre avec la foi dans laquelle on a été élevé, mais c'est ce qui s'est passé. Sans doute en avais-je assez de me sentir coupable d'avoir des pensées et des pulsions qui, je le savais, étaient partagées par beaucoup de gens. (A l'époque, j'étais bien loin de me douter qu'elles l'étaient aussi par les prêtres qui écoutaient nos confessions, sans parler du fait que certains passaient à l'acte.)

Lorsque je suis allé à l'école militaire de West Point, assister à un service religieux était obligatoire le dimanche. J'ai donc choisi d'aller à la chapelle protestante, où la musique me plaisait davantage, où l'on ne parlait pas en latin et où l'on chantait *Onward, Christian soldiers* (*En avant, soldats chrétiens*), ce qui n'allait pas tarder à devenir une réalité pour moi car, quelques années plus tard, je partais pour le Vietnam…

J'imagine qu'il n'est guère surprenant que l'armée ait un corps d'aumôniers, tout comme elle a un corps médical. Loin de se contenter de s'occuper des âmes des soldats, les aumôniers s'efforçaient de fournir une justification théologique à nos missions. Chaque soir, le briefing s'achevait par une prière. Un soir, notre commandant, le colonel George S. Patton III, s'est tourné vers l'aumônier et lui a demandé : « Quel thème de prière, ce soir, monsieur l'aumônier ? Et si on choisissait la chasse ? » L'aumônier s'est exécuté et a tout de suite embrayé : « Aidez-nous Seigneur, à accomplir la mission du régiment. Aidez-nous à trouver ces saligauds et à les dégommer. » Parmi tous les textes fondateurs destinés à organiser la vie des Hommes, pourquoi ne choisissons-nous pas le plus bienveillant à l'égard d'autrui ? En général, le problème des convictions religieuses, c'est que chacune se présente comme détenant seule la vérité. Non seulement cette idée est d'une grande arrogance, mais elle justifie tous les fondamentalismes.

Sous son aspect le plus attirant, ce prosélytisme nous promet le salut de nos âmes. L'avantage, pour la société dans son ensemble, c'est qu'on a le choix d'adhérer ou non à cette croyance. Malheureusement, les personnes pétries de religion ne se contentent pas seulement d'une simple adhésion. Tôt ou tard, elles manifestent le désir d'obliger les autres à les écouter et ressentent alors le besoin d'imposer des prières dès l'entrée à l'école. On en vient vite à invoquer Jésus avant une compétition sportive ou une cérémonie de remises de diplômes. Ou, pire encore, à imposer la référence à Dieu dans notre grande religion laïque, le patriotisme.

Toutefois, ce temps de prière collectif imposé par les croyants est un moindre mal (d'ailleurs, on peut se demander pourquoi un Dieu omnipotent exige des prières aussi fréquentes). Mais bien évidemment, les mots à eux seuls ne leur suffisent pas. Pour celui à qui la vérité a été révélée, il ne suffit pas que le mécréant perde son âme et la perspective d'une vie éternelle. Non. Il doit d'abord abandonner ses convictions et se conformer à la parole de Dieu, pour avoir le droit de vivre dans ce monde.

L'idée inhérente à toutes les croyances fondamentalistes qui s'imposent par la force, qu'il s'agisse du Dieu de l'Islam ou de celui de l'Ancien Testament, est qu'à terme nos structures sociales et administratives devront correspondre aux préceptes du Coran ou de la Bible (selon l'interprétation qu'en font naturellement les authentiques croyants). Les talibans d'Afghanistan et les mullahs iraniens nous ont fourni un aperçu de ce que serait une société dans laquelle l'Église *est* l'État. Le résultat n'est guère réjouissant. Au demeurant, il est intéressant de faire ici un parallèle avec la structure sociale du communisme athéiste, mis en place par le pouvoir soviétique au XXe siècle.

Ce qui définit la démocratie (et aussi, par le plus grand des hasards, la santé mentale), c'est la liberté de choix, le choix de vivre sa vie comme on l'entend, dès lors qu'on n'empiète pas sur la liberté d'autrui. Le fondamentalisme se définit en revanche comme une restriction de choix : « Tu ne feras point ceci ou cela. » Les croyants n'aiment guère le flou du relativisme moral qu'ils déplorent dans l'« humanisme laïc ». Ils tiennent aux absolus moraux qu'ils font découler de leur interprétation de la Bible.

Par définition, les gens très croyants ont la certitude d'avoir raison sur toutes les questions fondamentales de l'existence humaine. L'individu imprégné de foi croit inébranlablement dans l'existence (impossible à démontrer) d'un dieu et est absolument certain que son interprétation des textes religieux est l'émanation de la volonté divine.

Peut-être est-ce parce que les Hommes aiment les histoires dans lesquelles le Bien triomphe du Mal qu'ils éprouvent le besoin d'inventer un adversaire à la divinité qu'ils se sont choisie, une incarnation du Mal qui, mue par de mauvais instincts, ne pense qu'à ravir nos âmes. C'est sur ce modèle manichéen que les Hommes agissent entre eux, avec les conséquences destructrices que l'on connaît au niveau individuel et collectif, dans un monde divers et ambigu.

Voilà la leçon à tirer des événements du 11 septembre, si tant est qu'il y en ait une : les kamikazes avaient la certitude inébranlable de commettre un acte profondément religieux, qui devait frapper le cœur laïc des infidèles. On ne peut douter de la profondeur de leur conviction et leurs dernières paroles ont sans doute été *Allah Akbar*, Dieu est grand.

La démocratie repose sur la conviction qu'aucun individu n'a le monopole de la vérité. Nous sommes tous des êtres humains faillibles, respectueux du droit d'autrui à répondre comme il l'entend aux questions fondamentales de l'existence. S'il y a un monde au-delà de celui-ci, il ne saurait s'agir d'un lieu où seule une minuscule fraction de l'humanité est admise, en fonction du hasard de sa naissance ou de sa religion.

Au cours de la longue histoire de l'humanité, quantité de récits sont venus expliquer l'origine et le sens de la vie, pour nous aider à supporter les malheurs et l'injustice qui nous entourent, et pour nous permettre d'espérer en dépit de notre sort de mortel. J'aimerais qu'il existe un récit promouvant l'idée que nos conceptions de Dieu et de son rôle dans nos existences sont diverses et très liées à notre culture. Quelle que soit l'image que les Hommes ont du paradis, ils créent l'enfer sur terre, en tentant d'imposer par la contrainte un ensemble de croyances au détriment d'autres. J'appelle de mes vœux l'émergence d'une foi dont la doctrine fondamentale préconiserait l'humilité et la tolérance. L'idée essentielle d'une telle Église serait que Dieu préfère le travail bien fait à la piété. Et son commandement essentiel : « Tu garderas ta religion pour toi. »

13

La dignité doit être ce que l'être humain abandonne en dernier

L es États-Unis comptent désormais trente-cinq millions de personnes de plus de soixante-cinq ans, soit 13 % de la population. Ce nombre va en s'accroissant. Avec l'aide involontaire de la génération du baby-boom, le pays comptera, en 2030, soixante-dix millions de personnes âgées.

Pour des raisons évidentes, j'ai été amené récemment à m'intéresser davantage au processus du vieillissement. Le psychiatre que je suis voit un certain nombre de personnes âgées. Par ailleurs, je puis aussi m'appuyer sur l'expérience d'amis et de mes contemporains. De manière générale, le vieillissement n'est pas une perspective attrayante.

L'un des dangers qui nous guette, tout au long de notre existence, c'est de devenir la caricature de nous-même. Cela peut se produire à n'importe quel âge : adolescent rebelle, jeune marié naïf, jeune cadre dynamique, parent débordé, quarantenaire frileux, retraité pantouflard. Toutefois, c'est durant la dernière partie de notre existence que nous sommes le plus susceptible de subir les outrages du temps et du vieillissement, et de ressembler aux vieux qui nous faisaient pitié dans notre jeunesse.

Le temps qui passe nous fait peu à peu apparaître tels que nous sommes réellement. Parmi toutes les perspectives qui nous font peur, ce sont l'infirmité et la mort qui nous terrorisent le plus. Les milliards dépensés en cosmétiques, en chirurgie esthétique et en « compléments alimentaires » absurdes témoignent des efforts futiles destinés à effacer les signes tangibles de notre mortalité. Ce dont nous avons besoin, en réalité, c'est de courage, pour regarder en face ce que nous sommes devenus : quelqu'un de vieux.

Marginalisées par la société, tolérées à petites doses par leurs enfants devenus adultes, les personnes âgées ont tendance à vivre entre elles, entre personnes ayant plus de temps libre que d'imagination. Privés d'emplois et de responsabilités familiales, nous risquons de nous sentir de trop, à la fois pour la société et pour nous-mêmes.

C'est la raison pour laquelle, à mon sens, les personnes âgées ont la réputation bien méritée de se plaindre en permanence. Un jeune qui se préoccupe de sa santé se fait traiter d'hypochondriaque et l'individu dont la conversation principale tourne autour de ses petites douleurs devient une compagnie ennuyeuse. Je rencontre souvent des adultes qui appréhendent les conversations avec leurs parents, sachant que ces derniers ne feront que répéter à l'envi tout ce qui va de travers du point de vue de leur santé. Même lorsqu'elle émane de personnes qui nous sont chères, rien n'est plus inintéressant que d'écouter la description maintes fois réitérée de maux qui échappent à la compréhension de la médecine. Non content d'ennuyer les autres, on commence à s'ennuyer soi-même !

Parmi mes patients, il y a une femme d'âge moyen, qui en a tellement assez d'écouter les jérémiades de sa mère et de recevoir force conseils sur à peu près tout que, lorsqu'elles se téléphonent, la fille tient l'écouteur à bout de bras. Ainsi, elle entend le son de la voix de sa mère, sans avoir à écouter ce qu'elle lui dit. Lorsque la mère s'interrompt, la fille glisse un « Oui, maman », et elle éloigne à nouveau le combiné dès que sa mère recommence à parler. Cela peut durer longtemps. Pour dire la vérité, il m'est même arrivé de préconiser cette méthode à certains patients désespérés, dont les conversations avec leurs parents ne relèvent absolument plus de ce qu'on appelle la communication.

Lorsque nous vieillissons, notre univers rétrécit, comme souvent d'ailleurs nos centres d'intérêt. Par exemple, je trouve surprenant que si peu de personnages âgées sachent se servir d'un ordinateur. Une étude réalisée auprès de personnes de plus de soixante-cinq ans a révélé que seulement 31 % d'entre elles s'était déjà connectées à Internet, ne serait-ce que pour envoyer et recevoir des e-mails (pour la tranche d'âge précédente, celle des cinquante à soixante-cinq ans, le chiffre est de 70 %). Avoir la télévision comme principale fenêtre sur le monde me paraît d'une tristesse insupportable.

L'une des critiques qu'on m'a adressée, concernant mon précédent ouvrage, était qu'il ne contenait pas suffisamment de conseils, pour mériter sa place au rayon « Développement personnel » des librairies. Voici donc quelques recommandations destinées à ceux dont les vœux de longévité ont été exaucés :

1. Cessez de vous plaindre. Si vous aviez vécu quelques générations plus tôt, vous seriez déjà mort depuis dix ans ;

2. Si vous n'avez aucune activité dans votre vie qui vous fasse oublier le temps, il faut vous en trouver une ;

3. Si vous allez chez le médecin plus de dix fois par an, sans être atteint d'une maladie incurable, trouvez-vous un nouveau loisir ;

4. Je suis d'accord avec vous : on n'a pas écrit de bonne musique ces trente dernières années. Mais ni vos enfants, ni vos petits-enfants n'ont envie de l'entendre ;

5. Si les gens ont envie de savoir comment était la vie lorsque vous aviez leur âge, ils vous poseront la question ;

6. Ne vous préoccupez pas d'éviter les tentations. À mesure que vous vieillirez, ce sont les tentations qui vous éviteront ;

7. Ne vous préoccupez pas de mourir dignement. Essayez plutôt de *vivre* dignement.

14

La vie nous prend, la vie nous donne

Quand on a 70 ans, la probabilité de pouvoir participer à la course Transpac qui se déroule tous les deux ans entre Los Angeles et Honolulu est extrêmement réduite. C'est la raison pour laquelle, en 2003, Lloyd Sellinger a fait ce que tout septuagénaire rêvant d'aller à Hawaii aurait fait à sa place : il a menti sur son âge. « J'ai dit au skipper, un homme d'une quarantaine d'années, que j'avais 69 ans. Ça sonnait mieux. » Après s'être vu refuser sa candidature malgré tout, Lloyd a conçu un projet de vengeance idéal : il a décidé de se préparer tout seul à la Transpac 2005, avec son propre voilier et un équipage exclusivement composé de personnes de plus de 65 ans.

Lorsqu'un magazine de voile californien a rendu public le projet de Lloyd, les candidatures n'ont pas tardé à arriver. Andy Szaz, 67 ans, a été le premier à se proposer. Membre de l'équipe olympique hongroise de voile en 1956, Andy a été courtier en bateaux de plaisance pendant 25 ans et il a navigué avec son Peterson 30 au large de Newport Beach, en Californie. Le nom de son bateau, *Babe*, en dit long sur Andy !

Mike Gass, 66 ans, est opticien. Il vit avec son épouse sur un ketch de 12 mètres, le *Suzannah*, sur le quai de Seal Beach où Lloyd a son bateau. Pourtant, les deux hommes ne s'étaient jamais rencontrés. Lui aussi a signé avec Lloyd.

Herb Huber, 67 ans, un ingénieur de San Francisco, a participé à quantité de courses. Aujourd'hui, il navigue sur son Ericson 35 dans la baie de San Francisco.

Jim Doherty, 67 ans, installait des relais de communication. Il est grand-père de treize petits-enfants et propriétaire d'un Islander 36 à Los Angeles. Tous deux ont eux aussi été recrutés, après des épreuves de sélection.

C'est à cette époque-là que j'ai entendu parler de ce projet, dans mon Maryland lointain, et que j'ai fait acte de candidature. Lloyd avait déjà un certain nombre de candidats susceptibles de faire l'affaire mais il m'a répondu qu'il gardait mes coordonnées au cas où. Heureusement pour moi, les autres candidats ont détérioré du matériel à bord, ou bien ont été malades, lorsqu'ils n'ont pas tout simplement déclaré forfait. Lloyd a donc repris contact avec moi par e-mail et je suis parti à Los Angeles en janvier 2005, pour faire un essai lors d'une sortie en mer. J'ai mis en avant mes 35 années d'expérience de course sur des petits bateaux, sans trop insister sur le fait que je n'avais jamais navigué sur un bateau de plus de 9 mètres et que je n'avais jamais fait de course au large. Le fait que je suis médecin a joué en ma faveur, même si ma spécialité, la psychiatrie, a soulevé certaines inquiétudes (pour la plupart jamais exprimées !).

L'essai s'est bien passé. Je savais faire la différence entre bâbord et tribord, je ne suis pas passé par-dessus bord et je semblais capable de survivre à deux semaines en mer. J'ai donc été sélectionné pour faire partie de l'équipe, surnommée « la bande des six pervers-pépères ». J'ai accepté de venir en Californie une fois par mois, pour m'entraîner ou participer à une course avant la Transpac, en juin. J'ai également ment promis de rafraîchir mes connaissances en médecine générale et en médecine d'urgence, et de cesser de décréter que tous les maux étaient « psychosomatiques ». De plus, le courant passait bien entre nous. Dans le groupe, il n'y avait ni trouble-fête, ni Monsieur-je-sais-tout. L'intuition de Lloyd avait bien fonctionné et son leadership décontracté s'est révélé efficace. Pas une parole déplacée n'a été échangée entre nous au cours des six mois qu'a duré l'aventure. Alors que nous ne nous connaissions pas, la première fois que nous sommes montés sur un bateau ensemble, nous sommes tous devenus amis.

Lorsque notre entreprise a commencé à faire parler d'elle, elle a bien évidemment provoqué quelques moqueries : d'où nous venait cette verdeur ? Avions-nous recours au Viagra pour rester en forme ? Est-ce que le laboratoire pharmaceutique produisant la petite pilule bleue allait nous sponsoriser ? (La réponse est non, bien que nous leur en ayons fait la demande.) Nous avons fini par clouer le bec à nos détracteurs : oui, nous avions prévu d'emporter un stock de Viagra avec nous sur le bateau, mais seulement pour nous empêcher de rouler de nos couchettes !

À l'instar de toute quête, un périple en mer est l'expression d'un espoir et aussi un voyage intérieur, entrepris pour des raisons qui n'ont pas grand-chose à avoir avec la destination finale. Nos premiers entraînements et nos courses au Mexique et autour de l'île de Santa Barbara nous ont permis de faire deux constats : premièrement, nous étions lents. Notre *Bubala* (qui veut dire « chéri » en yiddish), un Cal 40 (année 1969), et notre matériel qui datait aussi ne nous permettraient pas de concurrencer des bateaux plus légers, des équipages plus expérimentés et qui avaient des budgets plus conséquents. Deuxièmement, cela n'avait aucune importance. Notre seul but était de rejoindre Hawaï le plus rapidement possible. Aucun de nous n'avait jamais participé à la Transpac ; c'était le voyage de notre vie, et la seule chose qui comptait c'était d'être là.

La course – 2 500 milles à parcourir – a commencé au large de Point Fermin, à l'ouest de Los Angeles. Les vents, légers au départ, se sont encore affaiblis au cours de la journée. Si la météo avait été normale, nous aurions passé l'île Catalina vers 17 heures. Dans la réalité, c'est le lendemain vers deux heures du matin que nous avons aperçu les lumières de la pointe ouest de l'île ; notre vitesse était de 2 nœuds… Juste après l'île Santa Barbara, ce fut le calme plat pendant presque huit heures. Le soir du deuxième jour, les courants nous ont poussés de plus d'un mille vers les terres. Enfin, une brise légère a fini par se lever et nous avons pris la décision de passer au nord de l'île San Nicolas, la dernière avancée du continent nord-américain avant la haute mer, ce qui n'allait pas tarder à se révéler catastrophique. En approchant de l'île, de nuit, nous avons décidé de passer plus au nord, pour éviter des rochers. Le vent a tourné et, brusquement, nous nous sommes retrouvés à mettre le cap vers le nord-ouest, approximativement en direction des îles Aléoutiennes. Le temps de contourner les rochers en tirant des bordées, nous avions perdu des heures sur les autres concurrents qui étaient passés plus au sud, poussés par des vents plus puissants.

C'est alors que nous avons constaté que certaines batteries qui venaient d'être installées sur le bateau ne se rechargeaient pas correctement. Cela nous a obligés à éteindre toutes les lumières et à limiter nos communications radio à un relevé de position le matin et à un rapport le soir. Cela nous a également empêchés de communiquer avec nos familles et de recevoir les fax de la météo sur l'ordinateur.

Le temps de nous adapter au système des quarts – trois heures de garde, trois heures de repos – nous avons ensuite goûté pleinement notre aventure. J'en ai retiré une formidable leçon d'humilité ; l'homme est si petit face à l'immensité de l'océan ! Impossible de contempler cet environnement sans prendre conscience de manière aiguë de notre vulnérabilité. Nous avions de quoi manger et boire, et des compagnons à qui parler, mais nous n'avons vu aucun autre signe d'activité humaine pendant quinze jours, pas d'autres bateaux, pas même un avion. D'autres navigateurs, surtout ceux qui partent en solitaire, vivent un isolement beaucoup plus important, mais pour moi, cette expérience a suffi à me rappeler combien nous étions loin de tout, impuissants et tributaires des mouvements imprévisibles de l'air.

Pour Samuel Johnson, un bateau est comme une prison, avec une donnée supplémentaire : le risque de noyade. En réalité, un petit bateau en pleine mer peut se comparer à l'expérience humaine : l'homme est seul mais il coopère avec son prochain, et, grâce à ses compétences, sa détermination et un peu de chance, il est en mesure de surmonter des forces d'une puissance infiniment supérieure aux siennes. Nous ne sommes qu'un tout petit point sur la carte de l'univers totalement indifférent à notre destin, et pourtant, nous pouvons réussir à rejoindre la terre ferme et d'autres membres de notre espèce.

Une fois, voguant dans les alizés du nord-est, nous nous sentions rassurés car ces vents sont connus pour être très stables, ce qui ne nous a pas empêchés de prier pour qu'ils ne tournent pas. Par moments, nous étions à la limite de nos capacités, lorsque la force du vent approchait les 30 nœuds et que nous avancions à la vitesse maximum. Pour tenir le cap de nuit dans de telles conditions, le barreur devait effectuer une sorte de danse, en équilibre précaire entre un départ au lof dans une direction et un empannage catastrophique dans l'autre.

N'y a-t-il pas plus puissante métaphore à l'existence humaine que la traversée du Pacifique au crépuscule de l'existence ? Filer à toute allure, avec un spinnaker qui porte bien, des dauphins qui suivent le bateau, en compagnie d'êtres humains avec lesquels on se sent des affinités. Que pourrait-on rêver de mieux ?

Arrivés à mi-parcours, nous avons bu du champagne, en devisant sur le fait que nous nous trouvions alors à l'endroit de la planète le plus éloigné de toute terre ferme. Nous avons cessé d'écouter les rapports de position des autres bateaux ; ce n'était pas bon pour le moral de la troupe et d'aucune utilité. Les alizés ont été plus ou moins forts, mais ils ne nous ont jamais totalement laissé tomber. Et le soir du quinzième jour, nous avons vu poindre les lumières de Maui. Il ne nous restait plus qu'à changer de cap, une dernière fois à Molokai et à nous préparer à franchir la ligne d'arrivée, à 32 milles. Mais avant cela, nous devions affronter la mort, une dernière fois.

Nous avions décidé d'utiliser un spinnaker relativement petit, fourni avec le bateau dans les années 1960. Alors que nous approchions de Molokai, de nuit, avec des vents de 25 nœuds, la voile est devenue progressivement plus difficile à manier, puis elle a fini par s'enrouler autour de l'étai. Tout le monde s'y est mis pour l'y enlever. Trois d'entre nous étaient sur le pont, les trois autres dans le cockpit, lorsque le barreur a eu un instant d'inattention. Avec un bruit que je n'oublierai jamais, le vent s'est engouffré dans la grand-voile par l'arrière et l'a projetée, en une fraction de seconde, d'un côté à l'autre du bateau. Lorsque la bôme a sifflé au-dessus de ma tête, ma première pensée a été qu'il y avait un mort, que quelqu'un était passé par-dessus bord ou que le mât s'était cassé. En fait, aucune de ces catastrophes ne s'est produit. Nous avons réussi à maîtriser le spinnaker et, à la lueur de la lune décroissante, nous avons poursuivi notre trajet dans la lumière de l'aube.

Alors que nous passions à la hauteur d'Oahu, le soleil s'est levé derrière nous, inondant Diamond Head de la lumière virginale d'une nouvelle journée. Au son d'un vieux tube des Eagles, *Already Gone*, que l'un de nous avait sur son iPod, les années se sont envolées et pendant un instant, nous étions jeunes à nouveau. Nous avons terminé avec plus de deux jours de retard sur le premier bateau de notre catégorie. Du point de vue de la performance, l'entreprise était un échec – mais pas pour le cœur ni l'esprit. Après tout, nous étions six vieux messieurs sur un vieux bateau, nous dirigeant dans les bras de ceux qui nous aimaient, pour qui nous étions déjà des héros.

… Venez mes amis,
Il n'est pas trop tard pour partir en quête d'un monde nou-
veau.
Partons, et placés sur la ligne de départ, battons
Les sillons marins. Car j'ai toujours en tête
De voguer au-delà du soleil couchant, là où baignent
Toutes les étoiles de l'Occident, jusqu'à ma mort.
Peut-être serons-nous engloutis par des gouffres
Peut-être rejoindrons-nous les Îles du Bonheur,
Et rencontrerons-nous le grand Achille, que nous connais-
sions jadis.
La vie nous prend, la vie nous donne. Et si
Nous n'avons plus la force qui, autrefois,

Remuait ciel et terre ; ce que nous sommes, nous le restons ;
Des cœurs confiants d'une même trempe héroïque
Affaiblis par le temps et le destin, mais bien déterminés
À lutter, à chercher, à trouver, sans jamais céder.

Alfred, Lord Tennyson, *Ulysse*

15

Les questions importantes restent sans réponse

L es gens arrivent en psychothérapie avec une foule de questions. Le processus thérapeutique à proprement parler repose sur la méthode socratique des questions-réponses. Le travail du thérapeute consiste à poser au patient des questions qu'il ne s'est jamais posées, non pas dans le but de recevoir des réponses définitives, mais dans l'espoir que celui-ci, en tentant d'y répondre, conduira sur sa vie une réflexion qui lui permettra de la changer, en mieux.

Malheureusement, ce sont des conseils que les gens attendent souvent de leur psychothérapeute. On comprend aisément d'où vient cette idée erronée. Les thérapeutes qu'on voit à la télévision et qui écrivent sur le développement personnel se présentent la plupart du temps comme les détenteurs d'une sagesse et d'une expérience particulières, qui les autorisent à dire aux autres comment vivre leurs vies, élever leurs enfants et gérer leurs relations avec leur entourage. Ainsi, il n'est pas rare qu'au début de la thérapie, les patients me racontent leur histoire puis demandent : « Que dois-je faire ? » Souvent, leur question est même plus précise : « Pensez-vous que je devrais divorcer ? » En général, les patients n'ont aucune envie de se voir retourner la question : « Et *vous*, que pensez-vous que vous devriez faire ? » Ils pensent bien sûr que je connais la réponse, mais que, pour une raison obscure, je veux qu'ils arrivent eux-mêmes à la formuler. La vérité, bien sûr, c'est que je n'en sais rien.

L'idée que les individus ont la faculté de faire pour eux-mêmes les meilleurs choix est une preuve de confiance en l'être humain. C'est pour cela que je n'aime guère les thérapeutes qui hantent les plateaux de télévision. Même si leurs conseils paraissent généralement sensés, cela supposerait qu'ils connaissent suffisamment bien leurs interlocuteurs (qu'ils viennent souvent tout juste de rencontrer) pour décider à leur place de ce qui est le mieux pour eux. Cela implique, d'autre part, que ces personnes n'ont pas su trouver toutes seules de solution. Le problème, bien évidemment, c'est qu'une vraie thérapie exige du temps, ce qui est antinomique avec le zapping télévisuel, à l'inverse de ces conseils, qui peuvent être prodigués dans l'instant. Lorsque le public trouve les paroles du thérapeute sensées, il applaudit. La personne qui est venue chercher de l'aide hoche la tête, en signe d'approbation, et le problème est réglé en quelques minutes. Il est rare qu'il y ait un véritable suivi, pour voir ce qui s'est réellement passé ultérieurement.

Il existe une hiérarchie dans les questions que l'être humain se pose. Parmi les plus triviales, on trouve celles qui concernent la vie quotidienne : qu'est-ce que je dois acheter au supermarché ? De quelle couleur vais-je repeindre les murs de ma chambre ? Est-ce que je paie en espèces ou avec ma carte ? Les questions de la catégorie suivante sont plus lourdes de conséquence : où vais-je choisir de vivre ? Qui vais-je épouser ? Quel est la profession qui me conviendra ? Enfin, il y a les interrogations plus fondamentales : comment trouver un sens à ma vie ? Que devenons-nous après notre mort ? Pourquoi des choses terribles arrivent-elles à des gens formidables ?

Ce sont, pour l'essentiel, les questions du deuxième niveau qui donnent du grain à moudre aux psychothérapeutes, mais le symptôme a généralement la priorité : pourquoi suis-je toujours triste ? Pourquoi certaines questions m'angoissent-elles ? Pourquoi suis-je en colère contre la personne que j'ai épousée ? Pourquoi mes enfants se comportent-ils mal ? C'est en tentant d'apporter des réponses à ces questions que l'on aborde incidemment le sens de la vie, même si ces interrogations plus générales sont traditionnellement du ressort de la religion. De plus, elles ne répondent pas directement aux préoccupations pratiques des gens, venus chercher des réponses à leurs problèmes affectifs.

Pourtant, notre existence et notre bonheur sont inextricablement liés aux grandes questions relatives au sens de la vie. Le fait qu'il soit impossible d'y répondre de façon définitive, et de manière uniforme pour tout le monde, donne tout son intérêt à la quête. La conscience de notre mortalité, par exemple, donne au temps son importance et son urgence. « Et ils vécurent heureux pour l'éternité » : nous savons que cela n'arrive que dans les contes de fées. Pour le commun des mortels, le temps est compté et chaque individu s'efforce de l'utiliser le mieux possible.

Nous voulons ce qui, à notre sens, nous rendra heureux. L'accumulation de richesses est un objectif fréquemment cité, bien que rien ne prouve, de manière quantifiable, que les gens qui ont beaucoup d'argent soient plus heureux que ceux qui en ont moins. Nous voulons tous avoir une vie constamment exaltante et sommes déçus de constater que c'est impossible. Les gens se demandent pourquoi certains individus décident de consommer des drogues qui finissent par anéantir leur vie. Pour ma part, la réponse m'a toujours semblé évidente : ces substances procurent une sensation de bien-être difficile à trouver ailleurs. (A une époque, j'avais toujours sur moi un carnet et, lorsque je voyais une voiture dans un parking avec l'autocollant *Hugs are better than drugs* (« dites oui aux câlins, non à la came »), j'écrivais un mot que je laissais sur le pare-brise, demandant « Avez-vous essayé les deux ? »)

Le fantasme le plus courant est la quête de l'amour parfait, une chimère à laquelle Hollywood a contribué pour beaucoup. Les gens partent à la recherche d'un alter ego qui, pensent-ils les sauvera, en leur apportant un soutien inconditionnel, c'est du moins leur souhait le plus profond. Cette quête se soldera, dans la plupart des cas, par un échec, faute de se poser la seule question qui vaille : que puis-je faire pour devenir une personne qui mérite de recevoir et de donner de l'amour ? Au contraire, nous rêvons d'une âme sœur entièrement dévouée, fermant les yeux sur nos manquements. Si on laisse de côté l'amour que nous portent nos mères, un tel amour peut se révéler assez difficile à trouver ou à faire durer.

Je pense que quiconque concentre sa vie sur les petites et les moyennes questions, tout en ignorant les grandes, a peu de chances d'arriver à l'objectif escompté. Cela équivaudrait à regarder (ou à peindre) un tableau en se concentrant exclusivement sur le premier plan. Or c'est la spiritualité qui sert d'arrière-plan et de cadre à notre existence. On peut l'atteindre en se conformant à un dogme religieux (ils font tous l'affaire) et en côtoyant des individus ayant des convictions similaires aux nôtres, ou bien on peut s'efforcer de trouver ailleurs des éléments de réponse, permettant de donner un sens à nos vies et de vivre en accord avec nos valeurs les plus profondes. Peu importe que nous ayons ainsi gagné notre place au paradis, nous aurons au moins été guidés dans le labyrinthe et la vie en aura été, jour après jour, moins déroutante. Seuls les individus trop obtus, peureux ou égarés pour poser les questions importantes sont véritablement perdus.

16.

L'attachement est à l'origine de toutes les souffrances

L'expérience du deuil est impossible à exprimer par les mots. Et pourtant, quels sont les autres outils à notre disposition pour aider notre entourage à comprendre ce que nous vivons ? Il n'existe pas de trucs, de recettes miracles ni de techniques permettant de consoler une personne touchée par un deuil – parce que, à l'instar de nos visages et de nos personnalités, nos réactions individuelles à des pertes terribles sont différentes. S'il y a indubitablement des choses à ne *pas* dire, il n'existe pas de mots susceptibles d'atténuer la peine à coup sûr. C'est notre présence aux côtés de la personne endeuillée qui représente le meilleur espoir de réconfort, notre détermination à être avec elle, à écouter sa douleur et à partager son sentiment d'impuissance.

Il n'est pas bon de vivre un deuil seul. Et souvent, nos proches, qui semblent être les personnes idéales pour nous accompagner, sont elles-mêmes à tel point blessées et touchées par leur propre expérience du deuil qu'elles ne pensent qu'à elles. C'est la raison pour laquelle les enfants qui ont perdu un frère ou une sœur se sentent souvent abandonnés par leurs parents endeuillés. Et c'est ce qui explique en partie le nombre élevé de divorces chez les parents ayant perdu un enfant.

La mort est notre ennemi suprême, car elle anéantit l'illusion que nous maîtrisons notre vie. Face à elle, l'Homme est démuni. Même là où elle est attendue, dans les unités de soins palliatifs, les maisons de retraite, elle nous effraie. Alors, que dire lorsqu'elle frappe de manière inattendue, dans les maternités, ces lieux voués au bonheur... C'est dans ces situations que le courage de l'être humain est véritablement mis à l'épreuve.

Nos plus grands espoirs d'avenir reposent dans le devenir de nos enfants. Ce sont eux qui nous aimeront comme seul un enfant sait le faire, qui transmettront nos gènes à la prochaine génération, qui s'épanouiront en adultes heureux, qui s'occuperont de nous dans nos vieux jours. Même avant de venir au monde, ils font partie de nous. Avant même leur naissance, ils changent déjà notre vision de nous-mêmes et notre place dans le monde. Qu'ils fassent de nous des parents pour la première fois ou non, ces bébés qui naissent occupent une place immense dans nos vies. Déjà, nous considérons qu'il est de notre devoir (le plus plaisant des devoirs) de les protéger. Nous les imaginons devenir des êtres humains à part entière, petit à petit, avec notre aide.

Notre expérience du monde nous a contraints à réviser à la baisse nos rêves personnels. Mais les rêves que nous caressons pour nos enfants sont sans limite. N'ayant pas encore été confrontés au principe de réalité, tous les espoirs sont permis au royaume du possible, où jeunesse et beauté s'accordent pour qu'aucun cœur ne soit brisé, où l'âge n'apporte que la sagesse et où le temps n'est pas un ennemi.

Ces enfants seront brillants là où nous ne l'avons pas été. Ils travailleront bien à l'école. Ils vivront sous notre protection, jusqu'à ce qu'ils soient prêts à devenir parents à leur tour d'enfants, nos petits-enfants, eux-mêmes parfaits. Ces enfants sont porteurs d'une promesse et nous les aimons déjà. La joie et le plaisir que nous éprouvons le jour où nous faisons enfin leur connaissance sont immenses.

La chambre du bébé est prête, les mobiles colorés sont suspendus au-dessus du berceau tout neuf. La table à langer est installée, les couches achetées. La couleur pastel des murs a été choisie et la chaise à bascule dans laquelle bébé sera bercé est installée. La boîte à musique n'a plus qu'à être remontée. Le siège-auto dans lequel bébé prendra place en rentrant de la maternité est fixé. La famille est réunie dans la salle d'attente de la maternité ou bien elle attend près du téléphone, prête à fêter l'arrivée du plus jeune héritier.

Et puis soudain… C'est la douche froide, la mort soudaine et une souffrance inimaginable. Ce qui est pire encore, c'est la prise de conscience croissante que nous ne serons plus jamais les mêmes, que cette perte est irrémédiable, qu'elle ne disparaîtra jamais, et que le mieux que nous puissions espérer, c'est un genre d'engourdissement. Dorénavant, quoi que nous soyons ou que nous devenions par la suite, nous resterons toujours un parent ayant perdu un enfant. Une gigantesque vague de solitude et de désespoir s'abat sur nous, nous avons du mal à respirer. Cesser de faire battre nos cœurs serait une délivrance.

Personne ne nous apprend à vivre un deuil, ni à savoir nous comporter vis-à-vis de ceux qui traversent cette épreuve. Certaines personnes semblent réussir mieux que d'autres à consoler un parent qui pleure son enfant, mais comme toujours, il y a des gens plus doués que d'autres dans les relations humaines. Peut-être pourrons-nous tous progresser dans ce domaine en comprenant le processus du deuil et ce qu'il a de très personnel pour chacun de nous.

On entend beaucoup d'idées fausses sur le deuil et la douleur provoquée par la perte d'un être cher ; les gens ont d'ailleurs tendance à confondre les deux. La douleur, le chagrin est une expérience intérieure, qui s'exprime par des pensées et des sentiments. Le deuil est ce que l'on montre de cette douleur à l'extérieur, vis-à-vis des autres. Ce processus comporte une forte composante culturelle. La culture américaine contemporaine considère qu'il faut dépasser cette étape le plus rapidement possible. À ce sujet, on peut lire dans le *Manuel diagnostique et statistique des troubles mentaux* de l'Association psychiatrique américaine : « Le diagnostic de trouble dépressif majeur est généralement établi lorsque les symptômes subsistent deux mois après le décès. » Autrement dit, vous avez deux mois pour faire votre deuil. Après, si vous n'êtes pas revenu à votre état normal, cela relève de la maladie mentale.

Une autre idée fausse très répandue consiste à croire que l'expérience du deuil est uniforme et passe par la même progression chez chacun. Cette croyance s'appuie sur les travaux d'Elisabeth Kübler-Ross, éminente psychiatre et psychologue américaine qui a modélisé les comportements humains face à une très mauvaise nouvelle ; on passerait du déni à l'acceptation. En réalité, les personnes endeuillées sont submergées par une foule d'émotions conflictuelles, surgissant de manière totalement imprévisible. De plus, il y a des pertes avec lesquelles nous sommes bien obligés de vivre, mais que nous ne parvenons jamais véritablement à « accepter ».

Une autre idée fausse largement répandue consiste à croire que le deuil est une chose à éviter. Or le deuil est inévitable. On ne peut le surmonter, on peut seulement le vivre. Le seul « traitement » consiste à apprendre aux gens à tolérer certaines émotions extrêmement douloureuses, comme l'anxiété, la confusion et l'envie de mourir. Il n'est pas rare que dans les premiers temps du deuil, on ait le sentiment de « devenir fou ».

Les gens qui traversent cette épreuve ont envie de savoir : « Combien de temps vais-je rester dans cet état ? Quel est le but de ce processus atroce ? » Le fait est que la perte d'un être cher nous change à tout jamais. Le processus n'est jamais « achevé », il s'atténue simplement. Dean Koontz a écrit les lignes suivantes, dans son roman, *Seule survivante* :

« Les rares fois où il était allé aux réunions de l'Association des parents endeuillés, il avait entendu parler du Point Zéro. Le Point Zéro, c'est l'instant où l'enfant meurt, celui à partir duquel vous daterez tous les événements futurs, la fraction de seconde où tous vos compteurs intérieurs sont remis à zéro. C'est le moment où votre vie regorgeant autrefois de rêves extraordinaires, comme un coffre fabuleux, se change en une misérable petite boîte béante et vide, n'ouvrant que sur le néant. En un clin d'œil, l'avenir n'est plus le pays merveilleux de tous les possibles, mais un long cortège d'obligations. Seul le passé, vers lequel le retour est impossible, offre un endroit hospitalier où il fait bon vivre. Il avait passé plus d'un an au Point Zéro – le temps le fuyait dans les deux directions, il n'était ni dans le passé, ni dans l'avenir – comme s'il était resté en suspension dans une cuve d'azote liquide, plongé dans une profonde somnolence cryogénique. »

Parmi les poncifs véhiculés par notre culture, on trouve aussi ce que j'appelle le « deuil de pacotille ». Ceux d'entre nous qui ont vécu la forme la plus profonde du deuil, celui associé à la perte d'un enfant, comprendront aisément la justesse du terme choisi par Ted Kennedy, pour décrire la douleur de sa famille, suite à la mort de John F. Kennedy Jr., qu'il a qualifiée d'« indicible ». Que dire alors du sentiment collectif ressenti dans tout le pays, après la mort du jeune homme ?

Comme lors de la mort de la princesse Diana (en dépit du contexte très différent), l'émotion publique suscitée par la mort de John. F. Kennedy Junior était au contraire éminemment « dicible ». En réalité, nous avons été inondés de mots, tout le monde s'y est mis. Les présentateurs de journaux télévisés, les experts et les passants dans la rue déclaraient devant les caméras de télévision : « Pour moi, il incarnait l'élégance et la grâce », ou bien : « J'ai le sentiment d'avoir perdu un ami. » On nous passait en boucle les mêmes images de l'enfant et du jeune homme, dans le seul but d'évoquer le souvenir du chagrin que nous avons ressenti à la mort de son père.

D'une certaine manière, il n'y a rien de mal à s'impliquer sur le plan émotionnel dans la vie des célébrités, y compris de celles qui ne sont connues que parce qu'elles sont des célébrités. Ceux qui ne connaissent ces gens qu'à travers ce qu'ils nous montrent d'eux ou de ce qu'ils font n'en ressentent pas moins un attachement fort, d'autant plus fort qu'il ne repose sur aucun lien réel avec ces personnes.

Pour les plus de cinquante ans, Kennedy était le fils séduisant d'un homme qui a été le dépositaire de nos plus grands espoirs. Pour les plus jeunes, il était le symbole d'une culture qui glorifie la jeunesse et la beauté et qui ne sait pas faire la différence entre être célèbre et faire quelque chose de sa vie, qui aussi se contente de vivre ses émotions sous la forme « prémâchée » de la télévision et du cinéma. Dans ce sens, la mort du jeune Kennedy a été perçue comme un spectacle de plus, un divertissement dans lequel certains d'entre nous pouvaient ressentir une tristesse intense, de courte durée.

Quel mal y a-t-il à cela ? Si les gens ont envie de se convaincre que la mort d'un homme qu'ils ne connaissaient pas est une chose terrible pour eux, qui peut prétendre alors qu'il y ait des sentiments qui ne sont pas authentiques ? Quiconque a subi un véritable deuil se dira qu'il s'agit là d'un chagrin sans conséquences. Les gens laissent libre cours à leurs larmes, tout en sachant que quelques jours plus tard, voire quelques semaines au pire, ils auront tourné la page, sans avoir le cœur brisé, comme celui qui a perdu un être essentiel à son existence. Pour ceux qui ont connu cette souffrance, les manifestations publiques qui accompagnent la mort d'une célébrité paraissent bien superficielles. Lorsque l'information de la mort du jeune homme est tombée, la chaîne America Online a reçu un message *à la seconde* à ce sujet. Ces messages disaient tous en substance que cette mort les touchait profondément. Il y avait aussi, souvent, des condoléances aux familles et des phrases d'une affligeante banalité exprimant l'espoir après la peine. Si ces messages étaient destinés à consoler, il aurait mieux valu les glisser dans des enveloppes, pour les envoyer à ceux qui connaissaient *réellement* les victimes de l'accident et qui les aimaient. Mais cela ressemblait davantage à un genre de thérapie de groupe pratiquant l'apitoiement sur soi : nous sommes tous tristes, donc nous sommes des gens admirables.

Ce type de « deuil » est une parodie du deuil et n'a rien à voir avec l'anéantissement, silencieux et invisible, qui frappe ceux qui ont perdu un enfant, un frère ou une sœur, un jeune parent. Où sont les nuits blanches, la souffrance sans fin, la certitude que votre existence est à tout jamais anéantie par cette mort inexplicable qui a frappé sans prévenir ?

Où est le chagrin inexprimable ?

La mort de nos proches est inhérente à la condition humaine. Quiconque vit suffisamment longtemps subit quantité de pertes. La réponse naturelle à la mort est le deuil – qui ressemble à s'y méprendre à la dépression : tristesse, larmes, manque d'énergie, troubles du sommeil et de l'appétit, problèmes de concentration. La diminution de l'estime de soi, en revanche, est plus caractéristique de la dépression. L'individu qui a perdu un être cher est triste, mais il continue généralement à se percevoir comme quelqu'un de bien.

Ce qu'on s'efforce d'apporter à toute personne assaillie par une tristesse immense ou récurrente, c'est l'espoir. L'outil dont nous disposons pour consoler autrui, c'est notre propre expérience du deuil et de l'abattement. Les personnes touchées par la perte d'un proche réagissent de manière épidermique aux platitudes énoncées par des non-initiés, ceux qui n'ont jamais connu cet anéantissement et qui tentent d'apporter du réconfort. Sur les sites Internet consacrés au deuil, on trouve quantité de messages de personnes en colère qui, alors qu'elles vivent les pires moments de leur existence, sont confrontées à des tentatives de consolation pleines de bonnes intentions mais totalement inefficaces. En voici quelques-unes (suivies des remarques qu'elles suscitent chez leurs destinataires) :

— Il est heureux là où il est maintenant. (Oui mais moi, je n'y suis pas avec lui.) ;

— Vous avez de la chance d'avoir d'autres enfants. (Je n'ai pas l'impression d'avoir de la chance.) ;

— Je sais ce que vous ressentez. (Ah oui, vous avez déjà perdu un enfant ?) ;

— Ce qui ne nous tue pas nous rend plus fort. (Alors, pourquoi est-ce que moi, je ne me sens pas plus fort ?) ;

— Dieu ne nous impose pas d'épreuves au-delà de nos forces. (C'est facile à dire.) ;

— Tu es si fort, jamais je ne pourrais traverser l'épreuve que tu vis. (Ai-je vraiment le choix ?) ;

— Tu pourras avoir d'autres enfants. (Alors, cet enfant comptait pour des prunes ?).

Comment mieux décrire l'âme humaine que par la manière dont chacun vit l'expérience de la perte, en lui-même ou à travers ceux qu'il accompagne dans cette épreuve ? Notre attitude face au deuil et à la souffrance en dit long sur ce qu'on peut apporter aux autres. Comment quelqu'un qui n'a rien fait de sa propre vie, sachant que celle-ci aura une fin, pourrait-il transmettre de l'espoir à ceux qui se sentent anéantis par l'impuissance et le désespoir ? Inévitablement, chacun s'appuie sur ses convictions, religieuses ou philosophiques, pour faire face à sa condition de mortel. Pour aider les gens, il faut avoir les mêmes convictions qu'eux, peu importe les convictions, sinon notre aide risque de ne pas être très utile. En effet, cela aide de croire en quelque chose, ne serait-ce qu'en la noblesse de l'esprit humain face à l'inconnu.

Être mortel revient à supporter le poids terrible du temps et du destin. En partageant ce poids, nous nous aidons nous-mêmes autant que ceux que nous entendons aider. Nous le faisons en mêlant l'espoir à la douleur, dans la tentative de permettre, à terme, le bonheur, qui est lui aussi le cadeau de la vie.

17

Nous avons perdu le sens des choses

I l est naturel de chercher à se protéger soi-même et à protéger ceux que l'on aime. Pour cela, nous nous efforçons de bâtir nos vies à l'abri des dangers, qu'ils soient naturels ou créés par l'homme. En règle générale, nous construisons nos maisons en dehors des zones inondables, nous vaccinons nos enfants contre les maladies contagieuses, nous choisissons de vivre (dans la mesure du possible) là où la criminalité est peu élevée, nous fermons nos portes à clé et nous installons des systèmes d'alarme dans nos maisons. Nous exigeons que l'État inspecte ce que nous mangeons et fixe des normes de sécurité pour nos voitures, nous bouclons nos ceintures de sécurité, nous nous enduisons de protections solaires, nous évitons de fumer, nous faisons de l'exercice et nous surveillons notre tension.

Toutefois, nous savons bien que tous ces efforts ne garantissent pas une sécurité absolue, qui est une chimère, et qu'en réalité, les hommes ont pris des décisions qui les exposent à plus de risques que jamais par le passé. D'une certaine manière, nos besoins et nos désirs individuels ont tous concouru à créer une situation dans laquelle nous consommons des énergies fossiles plus rapidement que jamais, produisant des effets délétères sur l'air que nous respirons et faisant fondre la calotte polaire. Pourtant, nous continuons à vivre de la même façon, en nous préoccupant de dangers beaucoup plus aléatoires : crimes violents, maladie de la vache folle, épidémies de grippe, attentats terroristes.

Notre destinée commune, dans cette embarcation précaire qu'est la planète, dépend de la façon dont nous traitons le monde que nous avons reçu en héritage. Or il est beaucoup plus difficile de créer et de préserver que de détruire. En quelques semaines, n'importe quel individu âgé de dix-huit ans peut apprendre à tuer des gens avec une arme à feu et à provoquer efficacement des explosions. Apprendre à sauver des vies demande un peu plus de temps.

Dans le monde dans lequel nous vivons, la plupart de nos décisions ont des conséquences immédiates. Si j'achète ceci, je ne pourrais peut-être pas m'offrir cela. Si je prends un verre maintenant, je me sentirai mieux immédiatement. Si je roule plus vite, j'arriverai plus tôt. Si j'achète une maison plus grande, mon entourage sera impressionné. En permanence, nous pensons à court terme. Avoir une vision de l'existence avec un horizon plus lointain, par exemple pour planifier sa retraite, exige un effort que beaucoup de gens rechignent à fournir. On comprend mieux pourquoi il est si difficile de demander aux êtres humains de penser à la planète sur laquelle vivront leurs enfants, voire leurs petits-enfants.

Pour l'essentiel, les menaces qui pèsent sur l'Homme découlent de son désir de soumettre la planète à la satisfaction de ses besoins immédiats – ce qui est, bien évidemment, le principe de base de la société de consommation. Regardez les messages dont la publicité nous inonde. Toujours et encore, on nous assène des images de gens qui, de toute évidence, profitent davantage de la vie que nous. Ils sont plus jeunes, plus séduisants, ils ont plus d'amis et apparemment, un temps libre inépuisable. Que faire pour leur ressembler davantage ? Dépenser de l'argent, bien sûr. Si j'avais une plus belle voiture, si j'achetais des vêtements à la mode, si je prenais la pilule miracle, si je perdais quinze kilos et si je me débarrassais de ces vilaines rides, ma vie serait nettement plus agréable.

D'une certaine manière, chaque individu est assez lucide pour savoir que ce n'est pas ce qu'il possède ni ce à quoi il ressemble qui lui permettront de figurer dans les magazines people. Néanmoins, un sentiment d'insatisfaction chronique le poursuit. Il est bien difficile de vivre dans un monde où d'autres, pensons-nous, sont plus heureux que nous. On en arrive à une société du « tout-jetable » où l'on aspire à toujours plus de nouveauté et de perfectionnement, un désir impossible à assouvir. Cet état d'esprit recouvre à la fois de la gourmandise et de l'envie, deux péchés qui ne sont pas qualifiés de *mortels* par hasard.

Si notre recherche acharnée du dernier cri est le moteur de notre société de consommation, elle a cependant des effets secondaires préoccupants pour notre environnement et, à terme, pour notre qualité de vie.

Serions-nous moins inquiets si nous ne dépendions plus du pétrole de l'étranger ? À quoi ressembleraient nos relations avec le reste de l'humanité si notre politique étrangère n'était pas motivée par cette nécessité ? Qu'est-ce que chacun de nous serait prêt à faire (ou à sacrifier) pour arriver à cette situation souhaitable d'indépendance énergétique ? Voilà les questions qu'il faudrait se poser, à la place de celles qui nous préoccupent actuellement. En ce moment, les États-Unis se comportent comme un pays mû essentiellement par la peur. Pourquoi les islamistes nous détestent-ils ? Que pouvons-nous faire pour en tuer ou en capturer davantage ? Pouvons-nous aller encore plus loin dans la torture, pour nous protéger ?

Le lien entre notre consommation insatiable des ressources de la planète et notre propension à recourir à la guerre pour protéger nos intérêts nationaux ne saute peut-être pas aux yeux. Mais toujours et encore, la vie nous enseigne que *tout est lié*. C'est l'une des grandes leçons de la psychothérapie : tant que nous nous chercherons des raisons pour nous dégager de nos responsabilités, nous ne pourrons pas comprendre une vérité essentielle, qui est qu'on est la même personne dans tous les domaines de la vie. Ainsi, le gardien d'un camp de concentration ne peut se racheter en étant un bon mari et un bon père.

Au Viêt-Nam, les soldats parlaient toujours de ce qu'ils feraient une fois de retour « dans le monde », comme si leurs actes pendant la guerre étaient dépourvus de tout lien avec le reste de leur vie. Ce n'est que plus tard, dans leurs cauchemars et dans leurs relations les plus intimes, qu'ils ont constaté combien cette idée était fausse.

Il en va de même pour un pays. On ne peut consommer, gaspiller et polluer sans en payer le prix. De la même manière, on ne peut pas bombarder, torturer et bafouer les droits d'autres êtres humains, sans compromettre la perception qu'on a de soi-même. En général, la peur n'est pas bonne conseillère. C'est pourquoi nos dirigeants doivent mesurer les conséquences de la guerre avant de s'y lancer. Nous sommes tributaires d'eux pour prendre des décisions mûrement pesées et pour dire la vérité.

La violence a sa place dans le monde, dès lors qu'on utilise exclusivement pour se protéger et pour protéger les valeurs qui font que nos vies valent la peine d'être vécues. Si toutefois on ne l'envisage plus comme la solution ultime et qu'elle devient une sorte de réflexe, une réaction simpliste à nos peurs les plus profondes, nous nous mettons en danger, autant que ceux que nous cherchons à détruire. Toute entreprise essentiellement destructrice a peu de chance d'améliorer notre sécurité. La violence séduit, parce qu'à court terme, elle semble porter ses fruits, comme la plupart des idées simples. Une fois qu'ils seront morts, ils ne pourront plus nous nuire, n'est-ce pas ? Mais que se passe-t-il si le processus visant à les tuer nous altère, fondamentalement ? Que se passe-t-il lorsque nous tuons des innocents ? Et si ces tueries nous faisaient ressembler davantage à ceux que nous haïssons ? Jonathan Schell a écrit les lignes suivantes, suite à l'émotion suscitée aux États-Unis par les photos publiées dans le magazine *Life* sur le massacre de My Lai au Viêt Nam :

« Que nous réussissions à supporter la souffrance ou que nous nous figions face à elle, le massacre pénètre en nous et il devient partie intégrante de notre vie. (Il) exige un examen de conscience et de l'action, mais si nous nions ce qui s'est passé en essayant de vivre comme avant, en faisant comme si rien ne s'était passé, notre connaissance des événements, qui ne pourra plus jamais nous quitter, provoquera un changement en nous, invisible mais crucial, engourdissant nos facultés les plus précieuses et flétrissant nos âmes. Car si nous apprenons à accepter cela, il n'y aura rien que nous ne puissions accepter. »

18

*On peut changer sans pour autant
rejeter ce que l'on a été*

Récemment, je suis retourné à l'école militaire de West Point, pour une réunion des anciens. Les membres de la promotion de 1960 sont aujourd'hui âgés de soixante-sept ans. Nous avons vécu quantité de choses : les premiers pas de l'Homme sur la Lune et la guerre du Viêt Nam, la fin de la guerre froide dans laquelle nous nous étions engagés en 1956, l'apparition d'Internet et les conflits au Moyen-Orient. Notre groupe est d'une diversité étonnante. Seule la moitié d'entre nous a fait une carrière de vingt ou trente ans dans l'armée. Les autres ont choisi le civil : hommes d'affaires, ingénieurs, avocats. Parmi eux, il y a même un poète ou deux.

Sur les 550 gars de la promotion, 82 sont morts. Le premier camarade qu'on ait perdu a été tué dans un accident de voiture, une semaine après avoir terminé l'école. Celui qui est mort récemment a succombé à un cancer du poumon, deux semaines avant nos retrouvailles. Entre ces deux dates, douze ont été tués au Viêt Nam. Désormais, les décès vont aller en s'accélérant, de manière prévisible.

C'était bon de revenir dans cet endroit qui nous avait connus jeunes et forts. C'était notre première visite depuis bien des années. Les lieux n'avaient guère changé. Les casernes en granit, de style gothique ont été agrandies, pour accueillir davantage de cadets. La chapelle protestante domine toujours le site, sur le flanc de la colline. De nouveaux bâtiments ont vu le jour et le stade de football américain a été agrandi, même si les résultats de l'équipe sont pires qu'avant. Quand il défile en ordre serré, le corps des cadets semble toujours être la plus belle unité du monde, même s'il est difficile, pour les vieux de la vieille que nous sommes empêtrés dans nos traditions, de voir parader des femmes, quand elles ne commandent pas des compagnies et des bataillons.

Le véritable signe de changement est apparu toutefois le vendredi soir : en effet, dans le Eisenhower Hall, l'humoriste Jon Steward s'est produit devant des centaines de cadets. Ils ont adoré.

Le département d'histoire est en train de rassembler les récits oraux de gradés ayant servi au combat, dans le but, semble-t-il, de transmettre aux cadets d'aujourd'hui les leçons du passé, qu'ils pourront utiliser dans les guerres de demain. C'est ainsi que j'ai eu un entretien très sérieux avec un jeune commandant, qui m'a interrogé sur mon expérience de médecin militaire du 11ème régiment de cavalerie blindée au Viêt Nam. Il m'a fait parvenir un certain nombre de questions à l'avance (« Comment nos cadets peuvent-ils se préparer au mieux à leur rôle d'officiers dans un environnement inhabituel ? ») Pour ma part, j'avais envie de parler d'autre chose : que fait un soldat lorsqu'il découvre que ce qui se passe sur le terrain n'a aucun rapport avec les raisons pour lesquelles il s'est engagé dans la guerre ?

Au Viêt Nam, on avait beau nous affirmer que nous étions là pour « conquérir les cœurs et les esprits » des Vietnamiens, j'ai surtout constaté du mépris dans la manière de les traiter. Nous les appelions volontiers les « jaunes » et les « Viets ». En tant que médecin, on m'a demandé de soigner des prisonniers qui avaient subi des tortures au cours des interrogatoires. L'officier du régiment chargé du renseignement m'a demandé d'administrer aux prisonniers de guerre une substance qui paralysait temporairement les muscles de leur système respiratoire, pour « faciliter » les interrogatoires. Incapable de le supporter, j'ai protesté publiquement au bout de six mois, lors d'une cérémonie de changement de commandement. J'ai été arrêté pour « conduite inconvenante en tant qu'officier », ce qui a marqué la fin de ma carrière dans la médecine militaire.

C'était la première fois depuis mon retour du Viêt Nam, trente-six ans plus tôt, que West Point manifestait un intérêt pour ce qui m'était arrivé là-bas. Alors, devant ce Caméscope, j'ai déballé tout ce que je pouvais dire en une heure, racontant ce que j'avais vu, fait et appris. Mais je n'avais pas beaucoup de conseils à donner aux cadets...

Je me suis contenté de raconter mon histoire et je leur ai demandé de réfléchir à eux, à ce que leur conscience pouvait ou non assumer. Leur être profond était-il compatible avec leur devoir de soldat ? Je ne sais pas si un cadet verra un jour cet enregistrement, mais pour moi, cela a représenté un moment important ; j'ai pu, par cette confession, mettre au jour le conflit non résolu que j'avais vécu en moi, à l'époque, entre ma loyauté face à l'armée et mes convictions de médecin, d'Américain patriote et d'homme libre sur cette planète.

Tout ceci n'a fait que confirmer mon attachement à ce lieu, sans quoi je n'y serais pas revenu. C'est à West Point qu'on m'a inculqué les valeurs de l'honneur et du devoir que j'ai tenté de mettre en pratique, même au prix de tout ce que j'avais aspiré à devenir.

L'après-midi où je suis parti de chez moi pour me rendre à cette réunion, j'ai reçu un e-mail de la mère d'un jeune gradé de l'école, mort récemment en Asie du Sud. Cette femme avait lu l'un de mes livres et elle voulait que je la soutienne par des paroles susceptibles de la réconforter dans son deuil. Je lui ai envoyé une prière que j'ai écrite pour des parents en deuil, après la mort de mon fils à l'âge de six ans :

Puissions-nous tous trouver la paix en partageant l'espoir que nos enfants sont désormais une multitude d'anges, qui nous aiment toujours et sentent en retour notre amour pour eux. Sachant qu'ils sont présents dans nos cœurs, ils attendent notre venue. Leur courte existence nous a apporté tant de joie !

Au cours de la réunion, nous avons assisté à un service religieux à la mémoire de nos camarades défunts. Le nom de chacun d'entre eux a été prononcé par l'un de ses amis. Nous avons prié pour leur repos éternel et nous avons chanté l'*Alma Mater*. Puis, un général en retraite a évoqué leur mémoire en une longue litanie de clichés sur l'honneur, le devoir et la liberté, aussi inévitable qu'hors de propos pour des hommes morts de façon simple et héroïque à la fois, et dont les dernières pensées étaient sans doute bien éloignées du discours lénifiant censé les rappeler à nous en cet instant.

Dans la chapelle de West Point, tout comme devant le mur de granit noir à Washington, je pense à mes camarades de classe, morts au Viêt Nam, éternellement jeunes et qui survivront à ma mémoire de mortel. Ils ne deviendront pas de frêles vieillards, comme nous. Ils ne mourront pas au terme d'une longue agonie. Peut-être, après tout, sont-ils plus chanceux que nous. Mais qu'en est-il des chansons qu'ils n'ont pas chantées, des enfants et des petits-enfants qu'ils n'ont pas eus, d'un amour paisible qu'ils n'auront jamais connu ? Tout cela leur a été refusé.

Cela prendra-t-il fin un jour ? J'ai peur que des jeunes gens et des jeunes femmes continuent à mourir pour que d'autres anciens, dans quarante-cinq ans, puissent honorer leur mémoire, comme nous l'avons fait, avec dévotion et regrets.

19.
Le sentiment que la vie
a un sens nourrit l'âme

Parmi toutes les raisons qui nous poussent à travailler, la volonté de laisser une trace de notre passage sur Terre est la plus puissante. Face aux patients qui viennent me voir pour me livrer leurs histoires, il serait facile de se laisser prendre au jeu facile du diagnostic et du traitement. La dépression et l'anxiété, les deux troubles dont souffrent le plus couramment les personnes venant consulter un psychiatre, ne sont pas difficiles à diagnostiquer. L'existence de médicaments efficaces pour soulager ces maux peut parfois faire oublier que le bonheur, c'est bien plus que l'absence de dépression.

J'explique souvent à mes patients que le médicament que je vais leur prescrire les soulagera uniquement des symptômes de la dépression : le poids qui les écrase, les nuages qui s'amoncellent au-dessus de leur tête, tout ce qui contribue en somme à vider leur vie de plaisir, leurs nuits de sommeil et leurs plus proches relations des joies simples de l'amitié. Pour beaucoup de gens, cette aide est amplement suffisante. Le soulagement d'une souffrance qu'ils ont endurée longtemps est un résultat qu'ils appellent ardemment de leurs vœux et dont ils sont reconnaissants. Beaucoup ont le sentiment d'être à nouveau libres, comme le prisonnier sorti de prison. Toutefois, la question importante reste entière : libres de quoi faire ?

Le bonheur n'est pas synonyme d'absence de souffrance, pas moins que la santé n'est l'absence de maladie. C'est ce qu'on fait et les gens que l'on côtoie, qui nous rendent heureux. Notre mortalité nous place face à des questions existentielles. Quel est le but de nos combats quotidiens ? La plupart des individus ont désormais le loisir de s'interroger sur les raisons pour lesquelles ils travaillent et sur leur vie.

L'équation toute simple qui consiste à travailler pour consommer est porteuse d'une certaine vacuité. (« J'achète, donc je suis. ») Or aucun d'entre nous ne correspond aux critères de jeunesse et de beauté exigés pour rivaliser avec ces icônes qu'on nous met constamment sous les yeux pour faire marcher le commerce. Personne ne peut échapper à ce matraquage et nous courons tous le danger d'une certaine superficialité. Le spectacle de clients prêts à se piétiner pour faire les meilleures affaires, le premier jour des soldes, est à la fois révélateur et dérangeant.

Dans nos vies quotidiennes, les questions relatives à la valeur de l'individu sont récurrentes, même s'il est rare qu'elles soient formulées. C'est particulièrement manifeste lors des départs en retraite. Nous nous définissons à tel point par notre travail que, sans lui, notre identité est remise en question. À moins d'avoir d'autres choses auxquelles nous rattacher, nous risquons de disparaître, de devenir invisibles pour ceux qui restent « productifs ». Ce sont les liens qui nous unissent à nos familles qui continuent à donner du sens à notre existence. Dans notre société, toutefois, le statut des anciens est à tel point déprécié que même les liens familiaux sont ébranlés par le déclin mental et physique.

Cet état de fait peu enviable découle des choix opérés dans notre jeunesse. Nos métiers étant pour la plupart répétitifs et peu satisfaisants, nous envisageons notre travail comme un simple moyen de subvenir à nos besoins et de nous permettre des loisirs qui, en général, ne contribuent guère à donner un sens à nos vies. En bref, nous sommes en manque de sens.

Je suis persuadé que c'est ce vide qui explique notre passion pour les pratiques religieuses instituées. Ne sachant pas vraiment pourquoi nous sommes sur terre, insatisfaits et inquiets, angoissés par la perspective inéluctable de la mort, nous sommes désespérément en quête d'un but à donner à notre existence et à la recherche d'un guide capable de nous rassurer dans notre combat quotidien. Nous sommes rassurés lorsque nous nous retrouvons avec quelques-uns de nos semblables possédant les mêmes croyances et dévolus à la même foi divine ; nous ne nous sentons plus seuls face aux grands mystères de la vie et de la mort. Quels que soient les malheurs dont la vie est porteuse, il y a le salut au bout.

Cependant, la foi religieuse n'est pas le seul chemin menant à une vie riche de sens. On peut révérer le monde et les êtres humains qui y vivent, accepter l'incertitude inhérente à notre existence et croire en ce que l'Homme a de meilleur. Par-dessus tout, nous serions bien inspirés de cultiver une certaine humilité quant à nos convictions morales, en étant prêts à accepter ceux qui ne partagent pas nos idées, mais ont le mérite de le faire sans violence. Si nous réussissons à sauver nos âmes, quoi qu'on entende par là, nous aurons magnifiquement réussi.

L'être humain n'est pas fait pour vivre seul

L es couples mariés représentent moins de la moitié des
ménages américains, c'est dire si beaucoup de gens
ont choisi de vivre en dehors des conventions. Pour les uns,
c'est un passage temporaire, en attendant de trouver
quelqu'un. Pour les autres, le statut de célibataire, semble-
t-il, est un choix.

Les célibataires ne nous intéressent que quand ils ont
entre 20 et 30 ans. Supposés reporter le mariage à plus tard,
pour s'adonner à une vie de plaisir et passer leur temps à
faire la fête avec leurs copains, ils sont portés aux nues par
l'industrie du loisir et du divertissement. Pourtant, les gens

que je reçois en nombre n'ont rien de « glamour » : ils ont la quarantaine et s'efforcent de se faire au statut de célibataire qui n'est pas un choix et auquel ils ne s'habituent guère, après l'échec de leurs longues années en couple.

Qu'on soit celui qui quitte ou celui qui est quitté, l'échec d'une relation dans laquelle on a investi tant d'espoir et tant d'années est une expérience douloureuse. La séparation peut aussi entraîner une situation financière catastrophique et compliquer l'éducation des enfants, ce qui ajoute encore à la détresse affective des gens et explique que tant d'entre eux choisissent de rester en couple, même si ce couple est malheureux.

Nous avons tellement été conditionnés par le modèle du couple que le seul fait d'être seul est stigmatisant. Passé un certain âge, les célibataires n'ont plus la cote. Ils ont tendance à se regrouper en associations dont la finalité première est de trouver l'âme sœur. Quarante millions d'Américains fréquentent des sites de rencontre sur Internet et le marché des petites annonces sur la toile représente un marché de 500 millions de dollars. On déploie des trésors d'imagination dans ce domaine : les soirées « speed dating », le « rendez-vous à l'aveugle » et le « rendez-vous dans l'obscurité » pour tous ceux qui n'ont pas le temps ou la patience de recourir aux moyens habituels de faire des rencontres. De plus, grâce à la télé-réalité, la rencontre amoureuse a tendance à ressembler à un sport de contact.

Pour les célibataires déterminés à le rester, il existe des associations défendant une image positive du célibat. Ces groupes défendent l'idée qu'on peut être célibataire et heureux, sans se laisser enfermer par « la tyrannie du couple ». Pour y arriver, il faut un réseau de relations sociales composé de gens ayant le même état d'esprit.

L'enjeu de tous ces efforts, c'est le bonheur et les conditions à réunir pour y arriver. De tous les objectifs que les gens visent – sécurité financière, travail intéressant, loisirs satisfaisants, amitiés – celui qu'ils privilégient est une relation intime durable avec un autre être humain, généralement du sexe opposé, mais pas nécessairement. La satisfaction de ce désir, qui repose sur notre instinct animal de reproduction, transcende tous les autres, notamment ceux qui ne sont pas directement associés à notre survie physique.

Même à des périodes de l'existence où l'individu ne souhaite plus se reproduire, voire ne peut plus se reproduire, le désir psychologique d'une relation intime reste entier. Rares sont ceux qui restent heureux seuls pendant une période prolongée. Et ceux qui y parviennent ont généralement d'autres ressources qui donnent sens à leur vie, comme la foi religieuse ou la soif de découverte et d'aventure vécue comme un défi.

La plupart des êtres humains ont besoin d'aimer et d'être aimés, de manière plus ou moins continue. À défaut, ils ont tendance à céder au découragement et à l'amertume. Les veufs et les veuves peuvent faire perdurer durant de longues années le sentiment d'amour et d'engagement qui les unissait à leur conjoint disparu. Bien que n'étant plus en couple de manière visible, ils peuvent surmonter leur deuil et vivre heureux avec leurs souvenirs et leur espoir de rejoindre l'être cher. Il est difficile de vivre une expérience comparable après un divorce, où le sentiment d'échec et le ressentiment sont la norme. Parfois, il est plus douloureux d'avoir aimé et d'avoir perdu l'être aimé.

Même s'ils s'efforcent de le nier en se proclamant « célibataires et fiers de l'être », rares sont ceux qui n'ont pas envie d'être en couple. Certes, on peut fonctionner, être productif dans le travail et vivre de belles amitiés en étant célibataire, mais ce ne sont pas seulement la pression sociale et l'angoisse de nos parents qui nous poussent à tout moment à rechercher l'âme sœur.

Ce désir n'est pas qu'un simple besoin de compagnie. Nous avons besoin de voir notre reflet dans les yeux d'une personne qui nous considère comme un élément essentiel de sa vie. Ce que nous recherchons (et trouvons rarement), c'est un amour inconditionnel. Est-ce là trop demander à un adulte qui ne nous a pas donné la vie ? Cette question a suscité bien des débats. Souvent, on nous demande de nous contenter de moins que cela, parfois de beaucoup moins. La plupart des relations intimes, notamment celles qui durent depuis longtemps, ont des allures de contrats et s'apparentent à des accords tacites, plus ou moins amicaux, entre individus consentant à se fournir mutuellement des services.

Autrefois, cet arrangement allait de soit, l'homme pourvoyant aux besoins du foyer et la femme se chargeant des services ménagers et de l'éducation des enfants. En contrepartie, chacun pouvait compter sur l'autre comme compagnon et amant régulier (même si le sexe dans ces conditions était peu exaltant). Le binôme formé tenait la route sur le plan économique et offrait un environnement stable pour élever des enfants et, par là même, répondait aux attentes de conformité de chacun sur le plan social.

Avec l'apparition de méthodes de contraception fiables et l'amélioration de l'indépendance économique des femmes, qui choisissent souvent de retarder l'âge de la maternité pour s'épanouir sur le plan professionnel, les choses ont commencé à partir à vau-l'eau sur le front conjugal. Désormais, les hommes étaient priés de participer aux tâches ménagères et de partager les décisions avec les femmes qui n'étaient plus prisonnières du couple sur le plan économique. Lorsque le divorce est devenu plus facile et mieux accepté par la société, il est devenu plus courant, les hommes et les femmes ne voyant plus l'intérêt de rester avec quelqu'un qu'ils n'aimaient plus ou qu'ils ne respectaient plus. L'ironie de cette évolution, c'est qu'au lieu d'assister à une augmentation du nombre de célibataires, nous avons vu une hausse du nombre de deuxièmes ou troisièmes mariages.

Beaucoup d'idées, a priori excellentes, nées dans les années 1960 n'ont jamais fonctionné : c'est le cas, par exemple, de la vie en communauté, qui exigeait l'absence de jalousie. C'est aussi le cas des contrats de mariage, spécifiant les responsabilités de chacun ou dans lesquels les partenaires s'engageaient à rester ensemble, « aussi longtemps qu'ils s'aimeront ». On n'entend plus guère ce genre de choses, même chez les couples qui souhaitent porter par écrit leurs engagements réciproques. Apparemment, les gens préfèrent formuler des promesses où amour rime avec toujours, même si seulement la moitié d'entre eux réussira à les tenir à long terme.

Rien ne sert d'affirmer qu'il devrait en être autrement, que nous devrions tous être contents d'être seuls, avec, pour compenser, un grand réseau d'amis et autant d'aventures que l'on veut, sans s'embarrasser du mariage. La logique n'a pas grand-chose à voir avec notre désir de trouver quelqu'un qui nous promettra, les yeux dans les yeux, de nous aimer pour toujours. Même si cela ne dure pas vraiment, nous nous serons sentis « normaux » pendant un petit bout de temps. Et puis après, on peut toujours tenter sa chance à nouveau.

21

La différence fondamentale entre l'intelligence et la bêtise, c'est que l'intelligence a des limites

L es gens ont tendance à faire grand cas de l'aptitude de l'Homme à raisonner. Nous considérons que c'est ce qui nous différencie des autres créatures de cette planète. Alors, pourquoi une si grande partie du discours national américain fait-elle penser aux débats d'une confédération de cancres ?

Prenez par exemple la polémique qui se poursuit aux États-Unis au sujet de l'affichage des dix commandements dans les lieux publics. Peut-on vraiment prétendre que le conflit qui nous oppose aux fondamentalistes chrétiens relève, d'une certaine manière, d'un débat constitutionnel légitime sur des questions comme la liberté d'expression religieuse, en référence à l'article du premier amendement de notre Constitution, qui stipule qu'il n'y a pas de religion officielle ?

Pour commencer, intéressons-nous à ceux qui vénèrent les monuments (difficile de trouver meilleur exemple de « veau d'or ». Où est donc Moïse, lorsqu'on a besoin de lui ?) Voici quelques années, Roy Moore, diplômé de West Point comme moi et président de la Cour suprême de l'Alabama, a fait installer les dix commandements, une œuvre de presque trois tonnes, dans le hall du palais de justice de Montgomery (actuellement, l'œuvre est exposée dans tout le pays). À ses yeux, les dix commandements constituent le « fondement moral de la justice américaine ». Difficile d'imaginer argument plus absurde...

Sur les dix commandements, sept ne concernent pas vraiment la justice américaine. Seuls le meurtre, le vol et le faux témoignage sont interdits par la loi de notre pays. Les autres nous disent qu'il ne faut ni jurer, ni convoiter, ni adorer des images, ni commettre d'adultère et qu'il faut honorer ses parents. Rien de tout cela n'a fait l'objet de lois récentes. Pour les chrétiens (et pour les juifs), bien évidemment, le premier des commandements est : « Je suis le Seigneur ton Dieu. Tu n'auras pas d'autre Dieu que moi. » Les musulmans, quant à eux, disent : « Allah est le seul Dieu et

Mahomet est son prophète ». À vous de choisir. Pour l'authentique fidèle, l'alternative est simple dans un cas comme dans l'autre : soit on accepte ce commandement, soit on est perdu.

Tout au long du mouvement pour les droits civils, les protestataires et leurs leaders ont puisé dans leur foi le courage et la force morale nécessaires pour s'opposer aux partisans de la ségrégation, nombreux, à l'instar du Ku Klux Klan, à invoquer leur propre lecture du christianisme pour justifier leur résistance au combat pour l'égalité raciale.

Les gens qui se sont rassemblés à Montgomery pour s'opposer au retrait du monument représentant les dix commandements sont les héritiers des ségrégationnistes, comme en témoigne la présence du drapeau des confédérés parmi eux. À la différence des idéaux de tolérance et de non-violence qui animaient ceux qui défilaient pour les droits civils, la foi des fondamentalistes, elle, emploie la force. Elle prône l'exclusion et se situe dans la veine des idées de cet autre héros de l'Alabama, le gouverneur George Wallace, qui, en 1963, a incité les citoyens à résister à l'autorité fédérale, en protestation à la déségrégation de l'université d'État.

L'un des piliers affichés de la foi conservatrice est de restreindre l'interférence de l'État dans la vie des gens. Toutefois, comme on l'a vu pour les dix commandements, les conservateurs fondamentalistes veulent imposer leur vision de la société au reste de la population, invoquant généralement des motifs moraux et religieux. En fait, c'est leur intransigeance quant à une interprétation spécifique de la Bible qui fait ressembler certains d'entre eux aux théocrates iraniens. Les contradictions inhérentes à leurs convictions ne les dérangent guère. Par exemple, ils défendent farouchement le respect de la vie avant la naissance, tout en prônant une application stricte (voire même l'extension) de la peine de mort.

Ce qui me semble important à noter, c'est que les convictions politiques ne forment pas un continuum, mais un genre de cercle, où les extrémistes d'un bout et de l'autre sont plus proches les uns des autres que de ceux qui se trouvent au milieu. À l'extrême du conservatisme, on trouve le fascisme, à l'extrême de la gauche, le communisme. Bien que situés, en théorie, à des extrémités opposées du spectre politique, Hitler et Staline ont tous deux donné naissance à des États totalitaires, qui ont assassiné des millions d'êtres humains. Le génie du système étatique américain, c'est que pendant 220 ans, il a agi comme un genre de gyroscope politique, qui a évité les extrêmes et qui nous a laissé la liberté de vivre nos vies et d'être en désaccord les uns avec les autres sans effusion de sang, à l'exception de la Guerre Civile. À bien des égards, le vrai débat se situe aux États-Unis non pas entre les conservateurs et les libéraux, mais entre les extrémistes et les modérés.

En 2004, on a réalisé aux États-Unis un sondage très instructif sur la religion. 90 % des adultes sondés ont déclaré croire en Dieu, ce qui n'est guère surprenant. Ce qui est plus intéressant, c'est que la moitié croient aux fantômes et presque un tiers à l'astrologie. Plus d'un quart pense qu'ils sont la réincarnation d'une autre personne. Les deux tiers de mes compatriotes croient au diable et à l'enfer (même si presque personne ne pense y aller). Une autre étude a révélé que les Américains sont trois fois plus nombreux à croire à l'Immaculée Conception (83 %) qu'aux théories de l'évolution.

Ah oui, l'évolution… Incapables d'accepter une théorie scientifique tellement incompatible avec une interprétation littérale de la Bible, les créationnistes ont trouvé une autre explication : selon eux, la complexité des organismes vivants est la preuve de l'existence d'un créateur à l'origine de l'univers, et un créateur intelligent. À la pléthore de preuves matérielles montrant que Charles Darwin avait raison, on oppose une histoire biblique impossible à démontrer scientifiquement et qui n'est donc pas une « théorie » au sens scientifique du terme. On ne peut pas démontrer que l'idée du créateur intelligent est fausse ; elle repose simplement sur la foi. Défendre son enseignement en cours de sciences naturelles, à côté de la théorie de l'évolution, « pour que les gens comprennent l'enjeu du débat », est la preuve de l'ignorance crasse du président américain.

Il serait erroné de loger tous les penseurs conservateurs à la même enseigne. De toute évidence, des êtres humains intelligents et de bonne volonté peuvent parfaitement être en désaccord sur le plan politique. C'est aux extrêmes de chaque philosophie que l'on retrouve des gens à tel point convaincus d'avoir raison qu'ils pensent devoir convertir ou contraindre ceux qui ne sont pas d'accord avec eux. Le moteur qui alimente cette pulsion dominatrice est souvent d'ordre religieux. Il faut être un croyant convaincu pour justifier l'imposition par la force de sa vision du monde.

De tous les droits garantis par la Constitution et les lois américaines, il en est un qui est rarement discuté mais universellement apprécié : c'est le droit de faire ce qu'on veut. L'exercice de ce droit n'implique pas seulement la liberté de choisir sa religion, mais aussi la liberté de ne pas choisir de religion. L'avertissement est suffisamment clair : les fondamentalistes ont produit un président qui nous a entraînés dans une « croisade » contre le « mal », qui, cela n'étonnera personne, est incarné par d'autres fondamentalistes, simplement d'un autre bord.

Le processus de réconciliation, au sein de la société américaine, entre les conservateurs religieux qui tiennent actuellement les rênes du pouvoir et ceux qui appellent de leurs vœux plus de tolérance et de pluralisme, sera long. Toutefois, certains signes encourageants laissent à penser que le mouvement de balancier est en train de s'éloigner de l'extrêmisme, si omniprésent dans le dialogue national au cours des six dernières années. La catastrophique guerre en Irak, le laisser-faire économique qui permet à des patrons-voyous de piller les entreprises, les réformes engagées pour enrichir davantage les riches par le biais de la fiscalité, le mépris des libertés civiques, l'arrogance de nos dirigeants à l'égard de l'opinion mondiale, l'incompétence du gouvernement et les injustices sociales dévoilées à l'occasion des cyclones : tout cela s'est accumulé et a provoqué un sentiment d'écœurement national vis-à-vis d'une idéologie prônant l'égoïsme, l'intolérance, sans souci des pertes humaines que de tels comportements impliquent. Si le mouvement de balancier s'inverse véritablement, cela ne sera pas trop tôt.

22

L'oreille est notre principal organe de séduction

Tous les jours, je suis confronté à l'absence de logique des gens que je reçois dans mon cabinet. Ceux-ci ont du mal à comprendre que la vie s'apprend dans une large mesure par une succession d'essais et d'erreurs. Les parents qui frappent leurs enfants pour les éduquer sont sidérés par l'irréductibilité de l'enfant qui persiste dans son comporte- ment d'opposition. Convaincus que les coups et l'intimidation sont des outils efficaces pour contrer des comportements qu'ils ne supportent pas (une idée qui leur a souvent été transmise par leurs propres parents), ils ne voient pas qu'il y a une contradiction flagrante entre ce qu'ils cherchent à inculquer à l'enfant (politesse et docilité) et la méthode utilisée pour y parvenir (la violence). Cette incongruité est à la source de la confusion de l'enfant et de son ressentiment. Souvent je leur demande s'ils se trouvent efficaces, une question qu'eux-mêmes ne se sont jamais posée.

Résoudre les problèmes de façon pragmatique en s'appuyant sur des faits logiques est inhabituel, notamment dans le domaine des relations humaines. Nous agissons le plus souvent par habitude. Un savoir nouveau ne nous conduit pas forcément à changer. Il faut pour cela un engagement de tout notre être. La frustration, la colère, le découragement, l'anxiété, et même le désespoir sont autant de sentiments susceptibles d'inciter les individus à remettre leurs vies en question, et notamment leurs relations les plus proches. L'espoir de voir disparaître ces sentiments constitue la motivation essentielle du changement. Le rôle du thérapeute est de permettre à l'individu d'avoir une claire conscience de la difficulté qu'il aura à transformer ce nouveau savoir en un comportement différent, et de l'encourager dans cette voie.

À cette fin, la première étape, dans la thérapie, consiste à établir la confiance. Outre le rôle de soignant qui lui est officiellement imparti, le thérapeute joue souvent au confesseur, à l'enseignant, au parent ou au juge. Nous avons des idées préconçues sur la thérapie et elles nous viennent d'années passées à regarder les représentations qu'en fournissent la télévision et le cinéma. Les psychiatres sont volontiers dépeints comme des criminels (on pense aussitôt à Hannibal Lecter dans *Le silence des agneaux*) ou comme des individus tellement dérangés qu'ils en sont drôles (voir Mel Brooks dans le rôle du Dr Richard Thorndyke dans *Le grand frisson*). Soucieux d'être divertissants, les thérapeutes officiant à la télévision et à la radio prodiguent des conseils à l'emporte-pièce qui faussent les attentes des patients.

En vertu de quoi une personne devrait-elle en payer une autre pour discuter avec elle ? Cette question essentielle est dans l'air, lors de tout premier contact avec un patient. Aller consulter pour résoudre des problèmes affectifs est de moins en moins stigmatisé. De plus, les antidépresseurs et les anxiolytiques mis au point ces cinquante dernières années sont devenus plus efficaces : les gens sont donc davantage disposés à envisager l'idée que leurs vies pourraient être améliorées s'ils se comprenaient mieux. Malgré tout, il faut souvent une période prolongée de mal-être affectif avant qu'on ne se décide à venir se faire aider.

La première interrogation que j'ai en rencontrant un nouveau patient, c'est sa disposition à changer. Les gens viennent souvent consulter un psychiatre à l'initiative de tiers, généralement des membres de leur famille, qui trouvent leur comportement inquiétant. Épouses menaçant de divorcer, parents au bout du rouleau, patrons ou collègues en colère : tous peuvent servir de déclencheur à une première consultation. Toutefois, si la personne n'a pas décidé elle-même que l'heure est venue de changer, la démarche thérapeutique risque fort de se révéler inefficace.

La première chose que je fais, lorsque je reçois un nouveau patient, c'est d'écouter ce qu'il a à me dire, en l'interrompant le moins possible. Cela peut paraître tomber sous le sens, mais les réformes du système de santé, qui obligent à recevoir un patient en consultation toutes les quinze minutes, n'encouragent guère à écouter les gens sans les interrompre.

J'ai découvert avec surprise, voici bien longtemps, combien le fait d'être écouté est un instrument de changement puissant. Je crois que cela s'explique par le fait que souvent les gens n'ont l'impression de ne jamais être écoutés. Une grande partie de nos divertissements n'exigent qu'une participation passive, ce qui, concrètement, revient à écouter les autres. Les personnalités politiques s'adressent à nous comme si elles détenaient le savoir et qu'il n'y avait qu'à les écouter. Même ceux dont nous sommes les plus proches sont souvent si occupés qu'ils n'ont pas le temps (ou l'envie) de s'engager dans une longue conversation. Dans ce contexte, le fait d'être écouté est, pour beaucoup de gens, une expérience inhabituelle et dont ils tirent une grande satisfaction. Chacune de nos histoires mérite d'être entendue, et pourtant : à qui pouvons-nous les raconter ?

Écouter les gens, c'est montrer l'intérêt qu'on leur porte. L'un des griefs classiques des femmes (qui ont généralement une meilleure écoute que les hommes, ce qui leur vaut d'avoir davantage d'amis) vis-à-vis de leurs maris, c'est qu'ils ne savent pas écouter, ce qui revient à dire qu'ils ne font pas attention à elles. Comme la plupart des idées reçues, celle-ci contient un élément de vérité important. Les hommes sont élevés dans un esprit de compétition. Et en dépit des évolutions survenues au cours des dernières décennies, ils hésitent encore à dévoiler quoi que ce soit pouvant être perçu comme de la faiblesse, surtout lorsqu'ils sont entre hommes. Je me suis occupé, pendant trente ans, d'un groupe de thérapie qui réunissait exclusivement des hommes. Il était passionnant d'observer comment ils s'aidaient les uns les autres et ce qu'induisait, en termes de dynamique de groupe, l'absence de femmes dans la pièce. Tout ce qui coupe les hommes des autres êtres humains et de leurs propres sentiments était mis au jour : compétitivité, obsession de l'autosuffisance et incapacité frappante à mettre des mots sur leurs émotions.

Le terme technique pour ce trouble est l'alexithymie. Il s'agit d'un mécanisme de distanciation qui empêche l'individu de reconnaître et de vivre différentes émotions. Lorsqu'on ne sait pas utiliser des mots tels que colère, joie, peur ou amour, il est extrêmement difficile de comprendre sa vie intérieure ou d'en parler. Si les Inuits possèdent vraiment trente mots pour désigner la neige et aucun pour la guerre, cela nous apprend beaucoup de choses sur eux en dehors du fait qu'ils vivent dans un environnement froid.

Pour pouvoir aider une personne à changer, le thérapeute doit utiliser ce que j'appelle « le bon levier ». Lorsqu'on voit ce professionnel pour la première fois, il est difficile de croire qu'il ou elle peut quelque chose pour nous. Même s'il a des diplômes reconnus, affichés sur les murs de son cabinet et si son nom figure dans les pages jaunes, le thérapeute n'en reste pas moins un inconnu, qui nous inspire un scepticisme naturel. En plus de mettre en avant ses qualités d'écoute, c'est uniquement si le thérapeute réussit à établir une relation avec le patient et à lui manifester un intérêt que ce dernier commencera à se dévoiler et à écouter ce que le thérapeute a à dire. Avant tout, le patient doit avoir la certitude que le thérapeute n'est pas en train de le juger et qu'il est de son côté.

Dans un couple, il n'est pas évident de savoir si le conjoint est un allié ou un adversaire. L'idée largement répandue que tous les couples mariés se disputent découle de la conviction diffuse que le mariage implique un genre de lutte de pouvoir, dans laquelle les partenaires doivent apprendre à faire des compromis et à lutter à armes égales. En revanche, l'idée que l'autre est un infaillible soutien, veillant sur nos intérêts comme sur les siens propres, est généralement considérée comme naïve.

Nous vivons dans une société qui chérit la victoire. Dans le sport, la politique, les affaires et dans nos relations aux autres, on nous encourage à penser en termes de compétition. Cette approche simpliste, (on perd ou on gagne), fonctionne peut-être pour le football, mais elle ne prend pas en considération le fait qu'il a fallu choisir entre une myriade de possibilités pour arrêter nos décisions. Or si l'on ne comprend pas cela, on risque de s'engager dans une voie, en pensant qu'il n'y a pas d'autre alternative que la voie opposée. Par exemple, lorsque je demande à un parent rigide qui punit ses enfants de s'interroger sur son comportement, j'obtiens souvent la réponse suivante : « Qu'est-ce qu'il faudrait que je fasse : que je les laisse faire tout ce qu'ils veulent ? »

Ce mode de pensée, reposant sur une alternative (on perd/on gagne, c'est noir/c'est blanc), ignore toutes les subtilités et les nuances de gris qui caractérisent la vraie vie et nous empêche de fonctionner efficacement dans ce monde. C'est aussi la raison pour laquelle le processus thérapeutique ne possède pas la clarté ni la précision qui nous font tellement plaisir sur le petit écran. La plupart des conflits humains sont pleins d'incertitudes et d'ambiguïtés. Pour surmonter nos différences, il faut donc une aptitude à en tenir compte, à voir les choses du point de vue de l'autre et à renoncer à la satisfaction d'« avoir raison ». Tout le monde n'en est pas capable, ce qui explique que tant d'individus trouvent difficile de faire durer leur couple.

Les médias modernes ont un autre effet secondaire : notre durée d'attention est de plus en plus limitée. Non seulement nous sommes dingues de zapping, mais nous avons aussi pris l'habitude de voir des situations compliquées et conflictuelles se résoudre en une heure ou deux. Le rythme désespérément lent de la résolution de conflits dans la vraie vie suscite en nous ennui et impatience. Les images de réussite rapide et de richesse instantanée sont omniprésentes autour de nous. La lenteur inhérente à n'importe quel processus de construction, notamment quand il s'agit de construire des relations humaines, peut sembler vaguement désuète. Le faste, le glamour et la beauté éphémère captivent notre attention et attisent nos imaginations. Les images des magazines et des écrans de télévision nous amènent à changer, sans qu'on s'en rende compte. Elles font naître en nous de l'insatisfaction et de la convoitise, et contrastent avec la réalité de nos vies quotidiennes, légèrement moins exaltantes.

Par conséquent, nous nous intéressons aux stars de cinéma, nous jouons au loto, nous nous intentons des procès et nous nous impatientons avec nos conjoints, autant d'expressions de notre insatisfaction à être ce que nous sommes avec nos propres richesses. Quoi d'étonnant, donc, que nous soyons limités dans ce que nous avons à offrir à l'autre et à attendre de lui, et que nous soyons assez mauvais pour construire et faire durer des relations ? Ces attitudes inhibent également tout processus de changement, quelle que soit l'intensité de la prétendue volonté de changer. Le désir de l'inaccessible – richesse, beauté et bonheur illimité – est si fort que nous avons du mal à réfléchir rationnellement à la manière d'obtenir des satisfactions plus prosaïques, mais plus durables, qui nous sont accessibles.

L'individu ne peut se concentrer que sur une chose à la fois. Or lorsqu'on a l'esprit occupé par des considérations superficielles, il est peu probable qu'on parvienne à réfléchir à ce qui est important. Quiconque fait passer le divertissement avant l'enrichissement personnel passe à côté de l'essentiel. Cela l'empêche, de ce fait, de modifier ses comportements en fonction de son expérience, ce qui est pourtant la meilleure définition du processus d'apprentissage. Or l'être humain incapable d'apprendre n'est guère plus qu'un assemblage d'habitudes irréfléchies, répétant stupidement ses erreurs passées. Est-ce que cela ressemble à la recette du bonheur ?

23.

L'insomnie
n'a jamais tué personne

L es problèmes de sommeil sont un motif de consultation fréquent chez le psychiatre. Dans certains cas, c'est le seul problème dont le patient fait état : « Si seulement je pouvais passer une bonne nuit de sommeil, tout irait pour le mieux. » Comme l'insomnie est un symptôme fréquent de l'anxiété et de la dépression, il semble logique de s'attaquer au problème en traitant sa cause. Personnellement, je considère l'insomnie comme un phénomène dont il faut tirer des leçons et j'encourage les patients à réfléchir à leurs vies, pour tenter de trouver quelques explications. Cette approche est aux antipodes du soulagement immédiat que les gens pensent obtenir, convaincus de la chose par les laboratoires pharmaceutiques qui fabriquent des somnifères.

Récemment, j'ai assisté à une réunion de psychiatres consacrée à l'insomnie, dans l'un des meilleurs restaurants de la région (c'était bien évidemment le laboratoire pharmaceutique qui invitait). En discutant de leur approche du problème, mes collègues psychiatres ne parlaient que des médicaments qu'ils prescrivaient le plus volontiers. Lorsque vint mon tour, j'expliquais qu'en général, au lieu de prescrire un médicament créant une accoutumance, j'attirais l'attention du patient sur les raisons susceptibles d'être à l'origine de son trouble, ils m'ont regardé comme si je parlais de saignées et des sangsues en plein XXIe siècle. De toute évidence, prescrire des médicaments pour permettre aux gens de dormir est l'approche la plus rentable : elle porte ses fruits, elle répond aux attentes du patient et elle permet au médecin de passer rapidement au patient suivant. Rien d'étonnant, dans ce contexte, que le laboratoire pharmaceutique ait jugé utile de nous offrir le repas que nous venions de manger…

Le sommeil a ceci de paradoxal qu'*on ne réussit à l'obtenir que si on ne le cherche pas à tout prix.* Cette activité, qui est involontaire, ne peut être provoquée. Ce qui, bien évidemment, dérange énormément ceux à qui on a inculqué que toute chose est le résultat d'un dur labeur, et qui aiment avoir leur vie sous contrôle. En fait, plus on essaie de dormir, moins on y arrive. Pour cette raison, la stratégie habituelle des insomniaques qui consiste à ne pas bouger de leur lit en regardant passer les heures et en pensant à leur état d'épuisement le lendemain matin, est le meilleur moyen de ne pas trouver le sommeil.

Lorsqu'un patient me demande une solution immédiate à son problème, je lui explique ce paradoxe, avant de lui conseiller de minimiser l'importance du sommeil, pour avoir les meilleures chances de le voir survenir. Nous avons tous entendu de longs discours sur les bienfaits du sommeil. Comme tant d'autres conseils – il faut consulter son médecin avant de se mettre à faire du sport, passer une visite médicale une fois par an, éviter les courants d'air en hiver et ne pas nager après manger – l'importance d'une bonne nuit de huit heures est un mythe. En fait, la plupart des gens arrivent à fonctionner parfaitement bien en dormant beaucoup moins que cela et nous pouvons faire confiance à nos organismes pour gérer le manque de sommeil, sans pour autant s'effondrer d'épuisement.

Les fabricants et les prescripteurs de somnifères ne cessent de nous mettre en garde : l'insomnie est un véritable fléau dans la société, qui provoque quantité d'accidents de voiture mortels et qui réduit la productivité des étudiants et des salariés américains. Un article paru récemment dans la presse a fait état des études scientifiques les plus récentes, suggérant que « le fait de ne pas dormir suffisamment ou de dormir à des heures inhabituelles accroît le risque de contracter diverses maladies graves, comme le cancer, les pathologies cardiaques, le diabète et l'obésité ». Rien d'étonnant donc à ce que les gens soient inquiets et qu'ils aient du mal à trouver le sommeil. Comme la plupart des autres formes d'anxiété, l'insomnie s'alimente elle-même. Quelle que soit la raison qui nous angoissait à l'origine, c'est la perspective d'angoisser qui nous angoisse, autrement dit, la peur d'avoir peur. À ce point, nous n'avons plus aucune chance de trouver le sommeil, l'épuisement total et l'anesthésie générale mis à part (solution qu'il m'arrive de recommander à ceux qui font du sommeil une véritable obsession).

Voilà ce que j'explique à mes patients : 1/ discuter d'insomnie n'est pas passionnant ; 2/ vous pouvez faire confiance à votre organisme : il trouvera suffisamment de sommeil pour vous éviter de tomber d'épuisement et 3/ vous ne réussirez pas à dormir tant que vous accorderez autant d'importance au sommeil. Le meilleur moyen de réduire l'importance du sommeil est de ne pas rester dans son lit, réveillé, plus de trente minutes d'affilée. Si au bout d'une demi-heure, nous n'êtes pas endormi, levez-vous et faites quelque chose d'utile : lisez, travaillez, lavez le sol de la cuisine. Restez debout au moins quarante-cinq minutes avant de retourner vous coucher. Répétez ce cycle aussi souvent que nécessaire. L'idée, bien évidemment, c'est qu'au lieu de rester au lit dans un état d'anxiété néfaste au sommeil, on propose à son organisme l'alternative suivante : dormir ou faire une autre activité constructive. Cela réduit l'anxiété et, dans la plupart des cas, conduit à une amélioration du sommeil. Toutefois, je demande aux gens de limiter à cinq minutes le temps consacré à leurs problèmes de sommeil au cours d'une séance de thérapie. Non seulement cela m'évite un ennui certain, mais cela laisse aussi du temps pour parler de sujets plus importants.

Qu'est-ce qui fait que nos vies sont heureuses ou tristes, nous apportant ou non des satisfactions ? C'est en grande partie les choses auxquelles nous choisissons de prêter attention. Ceux pour qui la vie est décourageante et la planète un endroit dangereux et vénal, où la misère est omniprésente, trouveront mille et une raisons de se conforter dans cette vision du monde. Les pages de nos journaux quotidiens foisonnent de récits de mort, de destruction et du pire que la nature humaine a à offrir. Certains individus sont à tel point absorbés par la consommation de ces « informations » que cela affecte leur humeur et le regard qu'ils portent sur l'existence. La plupart de nos peurs nous viennent de ce que nous voyons sur nos écrans de télévision.

De la même manière que le temps qui passe finit par donner raison aux pessimistes, ceux qui voient le monde par le prisme de la télévision « à sensations » se voient confirmée leur vision cynique et inquiétante du monde. À l'inverse, il est probable que l'individu qui passe autant de temps que possible à côtoyer la beauté et la générosité se considère comme heureux et montre de la bienveillance vis-à-vis de ses prochains.

Il est intéressant de constater que le même raisonnement s'applique à notre approche de la santé physique et mentale. Si les médias réussissent à nous convaincre que nous courons le risque de contracter la maladie de la vache folle, nous nous priverons du plaisir de manger des steaks (toutes mes excuses à mes lecteurs végétariens, qui méritent sans aucun doute de nous survivre tous). De même, comme des avions s'écrasent parfois (rarement, il est vrai), certaines personnes ne se déplacent qu'en voiture. Toutefois, quiconque a quelques notions rudimentaires de statistique se prive moins de manger et voyage plus loin.

De la même manière, quiconque fait confiance à son corps et à son esprit pour se soigner et se protéger s'épargnera quantité de visites inutiles chez le médecin. Allez aux urgences d'un hôpital à n'importe quelle heure de la journée, vous verrez une salle d'attente remplie de gens incommodés par des maux sans gravité, provoquant seulement un inconfort temporaire et n'exigeant aucun traitement. Ces « bien-portants angoissés » sont prêts à attendre pendant des heures pour voir un médecin surmené qui, dans la plupart des cas, n'aura pas la moindre idée de ce qu'ils ont ou bien n'aura pas grand-chose à leur proposer pour les soigner réellement. Les gens viennent consulter, craignant que leurs symptômes ne soient le signe d'une maladie grave (« Je tousse, et je me demande si ça ne serait pas le SRAS ») ou parce qu'ils sont incapables de tolérer le moindre inconfort (« Vous n'auriez pas *quelque chose* pour faire passer ce mal de tête ? »). Le fait est que des secteurs entiers d'activité vivent de l'idée qu'il y a un diagnostic pour chaque symptôme (comme la fibromyalgie, le syndrome de fatigue chronique ou l'apnée du sommeil), et un médicament pour chaque problème. Le système médical lui-même encourage les comportements hypochondriaques (« Juste pour être sûr que tout va bien, je vais vous faire passer quelques examens. ») Même le mouvement de « santé holistique », avec ses magasins regorgeant de « remèdes naturels », fait campagne sur le syndrome des bâtiments malades et l'intoxication aux métaux lourds.

Ça suffit. L'être humain est une machine merveilleuse et nos organismes se régénèrent et guérissent spontanément comme par miracle. Faites-vous un peu confiance. Moins vous verrez de médecins, mieux vous vous porterez. Vous avez du mal à vous endormir ? Apprenez à apprécier le calme et le silence du petit matin, où le téléphone ne sonne pas et où personne ne vous envoie de e-mail. Plongez-vous dans un livre que vous avez envie de lire depuis longtemps et faites confiance à votre corps : il s'endormira lorsqu'il sera suffisamment fatigué. Si cela ne marchait pas et que vous ne supportiez pas une nouvelle nuit d'insomnie, tapez « insomnie » dans le moteur de recherche de votre ordinateur. En un clin d'œil, vous serez sur une liste de diffusion, avec tout un nouveau groupe d'amis.

24

*L'héroïsme
est une notion toute relative*

Certains mots de notre langue ont été détournés de leur sens ou l'ont perdu à force d'être galvaudés. D'autres sont apparus moins précis ou empruntés au vocabulaire spécialisé. « Terrible », par exemple, n'a plus rien à voir avec son étymologie quand les adolescents, et les adultes qui veulent les imiter, se mettent à l'employer à tout bout de champ. « Générer » est devenu un mot-valise qui en a écarté beaucoup d'autres, du joli « donner naissance à » au « faire naître », en passant par le prosaïque mais efficace « produire ». Une certaine langue administrative utilisée par la police a mis à la mode le terme « individu ». Incontestablement

« L'individu est sorti du véhicule » fait beaucoup plus officiel que « L'homme est sorti de la voiture » ! Nous avons été contaminés par le langage informatique (input, output, interface, et une kyrielle d'autres). Les noms sont devenus des verbes par osmose (impacter) ou par l'ajout d'un suffixe (maxim*iser*, prior*iser*) ou des adjectifs, comme dans l'expression « c'est géant ». J'écris ces mots sur mon ordinateur et le correcteur d'orthographe ne les souligne pas, c'est donc qu'ils sont légitimes...

Mais de toutes ces dégradations de la langue, la perte de sens du mot *héros* est peut-être la plus regrettable. De nos jours, quiconque meurt en portant un uniforme est systématiquement qualifié de héros. Or l'une des choses que l'on apprend rapidement au combat, c'est qu'être victime d'une explosion ou d'un tir est rarement lié au courage qu'on a manifesté. En fait, la mort sur le champ de bataille est presque entièrement due au hasard. C'est particulièrement vrai dans nos guerres actuelles, où ce sont des bombes posées sur le bord des routes qui font le plus de victimes. Ainsi, vivre ou mourir dépend du véhicule dans lequel on se trouve.

Indéniablement, il y a des gens qui commettent des actes de bravoure en combattant et ce sont ces actes que le système de médailles militaires est destiné à récompenser (même si le fait de mourir est déjà considéré comme un acte de bravoure). Toutefois, à mon sens, le simple fait de se faire tuer ne fait pas de vous un héros car on ne le choisit pas. Certes, diront certains, le simple fait de s'engager dans une armée de métier par temps de guerre, avec les risques que cela comporte, montre qu'on a choisi son destin. Mais qu'en est-il de tous ces réservistes et soldats de la garde nationale qui ont signé pour une chose (poursuivre des études supérieures, s'engager dans l'humanitaire, servir leur pays deux semaines par an) et qui se retrouvent à faire totalement autre chose, mettant quotidiennement leur vie en danger ? Si on retire du nombre des héros toutes les victimes de balles perdues ou d'explosions sur les routes, ceux qui ont pris des risques énormes et sont morts avec bravoure se retrouvent réduits à la portion congrue. Peut-être que la chaîne de télévision CBS pourrait, dans son journal, rebaptiser sa rubrique « Morts sur le champ d'honneur » en « Nos soldats malchanceux » – un titre qui serait plus proche de la vérité, mais qui manquerait de panache.

Voici quelques années, plusieurs aviateurs américains accusés d'espionnage ont été détenus quelques jours en Chine, après leur collision avec un avion de chasse chinois. Leur rapatriement a donné lieu à une mise en scène rappelant le retour des prisonniers de guerre, à la fin de la guerre du Viêt Nam. Tout y était, jusqu'aux embrassades à leur arrivée avec leurs familles. Étions-nous censés savoir que ces hommes n'avaient pas vu leurs enfants depuis…. deux semaines ?

Le 30 août 2002, l'aéroport new-yorkais Newark a été rebaptisé Newark Liberty, « en hommage aux défenseurs de la liberté et aux héros du 11 septembre ». S'il y a indiscutablement eu des héros ce jour-là (pour la plupart des personnes anonymes), on peut dire que presque toutes les 3 000 victimes ont été simplement extrêmement malchanceuses. Parmi elles, il y avait des agents de change, des secrétaires, des agents d'entretien, des employés de restaurants et quantité d'autres personnes se rendant simplement à leur travail. Là encore, ils n'ont pas choisi de se mettre en danger, ce qui est l'élément central de l'héroïsme (leurs familles méritaient-elles tout cet argent, en moyenne 3,1 millions de dollars par personne ? Dans ce cas, pourquoi les familles, tout aussi malheureuses, qui ont perdu leurs proches dans l'explosion d'Oklahoma City, ou dans les ouragans, ou dans d'autres catastrophes naturelles, n'ont-elles pas touché la même somme ?).

Et qu'en est-il des quelque 460 pompiers et policiers qui sont morts en essayant de sauver des civils ? En choisissant leur métier, ils connaissaient les risques encourus. Ces métiers attirent en général des gens courageux, prêts à protéger et à sauver des vies, s'il le faut. Mais lorsqu'un bâtiment s'effondre sur vous, de façon totalement imprévue, vous n'êtes ni plus, ni moins courageux que ceux qui, par chance, s'en sont sortis. Lorsqu'ils se voyaient complimenter pour leur comportement héroïque, la plupart des sapeurs-pompiers et des policiers ont répondu qu'ils faisaient simplement leur travail – ce qui peut paraître modeste, mais qui est conforme à la vérité, dans la plupart des cas.

Voici quelques années, un pilote a réussi un atterrissage forcé avec un avion dont le système de pilotage ne répondait plus, simplement en utilisant la force différentielle des réacteurs de chaque aile. Son savoir-faire a sauvé la vie aux deux tiers des passagers. A-t-il agi en héros ? Pas du tout (comme il l'a lui-même répété à plusieurs reprises). Là encore, il n'avait pas choisi d'être dans cette situation. Il a simplement fait face à l'adversité avec une efficacité exceptionnelle.

Ainsi, il ne suffit pas de prendre des risques pour être un héros, (de préférence pour sauver la vie d'autrui), il faut l'avoir choisi. Mourir ne suffit pas non plus.

25

Nous sommes tous capables du meilleur et du pire

J'ai grandi dans l'État de New York. Mon père était grand amateur d'armes à feu. Il m'a offert ma première carabine lorsque j'avais sept ans. C'était un Mossberg 22 calibres. J'ai passé de nombreuses heures, seul dans la forêt avec cette arme. Au début, je me contentais de tirer sur des boîtes de conserve, posées sur des pieux. Puis je m'en suis pris aux petits animaux, essentiellement des écureuils et des marmottes. Je me suis fait à la vue du sang. Comme beaucoup de mes camarades, j'avais envie de devenir cow-boy ou soldat, c'est-à-dire chasseur d'hommes. Mon père, à qui j'avais envie de faire plaisir, était fier de mon adresse au tir. Les armes à feu étaient un symbole de pouvoir, de maîtrise et de virilité, autant de choses qui font défaut à un jeune homme et auxquelles il aspire.

Un jour, alors que j'avais onze ans, mon père et moi sommes partis planter des pins, sur une colline appartenant à la ferme. J'avais apporté ma carabine, au cas où un lynx ferait son apparition, comme cela s'était produit quelques semaines plus tôt, alors que ma mère travaillait dans l'un de nos vergers. Il faisait très chaud. Cela faisait des heures que nous repiquions les jeunes plants dans la terre et j'étais épuisé de retourner ce sol rocheux et irrégulier, rangée après rangée, à deux mètres d'intervalle. Mon père, infatigable, était torse nu et je regardais la sueur couler le long de son dos musclé.

Nous ne parlions quasiment pas en travaillant et je me rendais bien compte qu'il n'y avait aucun moyen d'échapper à cette tâche répétitive tant que tous les plants ne seraient pas en terre. Si je le lui avais demandé, mon père m'aurait laissé rentrer à la maison, pour être au frais, mais me montrer moins résistant qu'un homme de quarante ans mon aîné était trop humiliant et je n'étais pas prêt à le supporter. Décidant de m'octroyer une pause, je partis m'installer dans l'herbe chaude, à côté de ma carabine. Sans avoir d'idée précise en tête, je pris l'arme et visais un arbre, en bordure du champ.

Lentement, comme dans un rêve, je sentis la carabine décrire un mouvement et pointer le dos de mon père, penché pour planter un autre pin, à dix mètres de là. Mon doigt était sur la gâchette et j'enlevais la sécurité. Combien de temps sommes-nous restés ainsi, tableau vivant incarnant tout à la fois l'amour, la haine et la rivalité entre un père et son fils ? Je me souviens simplement d'avoir éprouvé un sentiment de puissance qu'avec le recul des années j'ai fini par considérer comme un genre de folie. Peut-être n'y a-t-il jamais eu le moindre risque que j'appuie sur la gâchette. Mais dans ma transe, dans la chaleur de plomb de cette fin de matinée, entouré du bruit des sauterelles, je ne ressentais que la vacuité d'un été sans fin, dépourvu de plaisir et de signification.

Si mon père s'était retourné à ce moment-là, je crois qu'un terrible secret aurait été dévoilé et que nos deux existences auraient pu prendre fin, sur cette colline, dans une sorte de sacrifice primitif, échappant à toute moralité et à toute explication.

Progressivement, semble-t-il de sa propre initiative, le canon de la carabine s'est abaissé. J'ai remis la sécurité avant de reposer la carabine dans l'herbe. Mon père s'est retourné puis il a laissé tomber sa pelle par terre.

« Et si on allait déjeuner, fiston ? »

« Excellente idée, papa. »

26

Nous sommes submergés d'informations et assoiffés de savoir

Notre connaissance est de plus en plus émiettée ; cela vient pour l'essentiel du fait que nos sources d'information sur le monde sont majoritairement la télévision ou Internet. Ce qui nous vient des livres, des journaux, des magazines et d'autres supports écrits est de plus en plus réduit – parce que dans l'ensemble, nous sommes un pays qui lit de moins en moins.

Le problème des informations télévisées, c'est qu'elles sont toutes présentées sur le même plan, sans aucune hiérarchie. Les guerres succèdent aux catastrophes naturelles, qui succèdent aux avancées de la médecine, qui succèdent aux bons mots de nos hommes politiques, quand ce n'est pas à l'agenda de célébrités. Dans ces conditions, il est bien difficile de savoir ce qui a de l'importance et ce qui n'en a pas. Comme les chaînes qui diffusent l'info en continu ont plus de plages horaires à remplir que d'informations utiles à transmettre, elles nous abreuvent d'histoires plus ou moins intéressantes, mais rarement importantes : disparitions d'hommes ou de femmes, incendies de forêts, potins « people » très « glamour » ou, au contraire, nous relatant les derniers démêlés avec la justice de nos stars préférées. Beaucoup de bruit pour rien en somme, nous privant d'informations dignes d'intérêt.

Que dire aussi du petit groupe de personnes qui, pour des raisons qui m'échappent, a été sélectionné pour nous donner son avis sur tout et accapare l'antenne ? Ces « analystes » ou « experts », sollicités quotidiennement sur l'actualité, ont généralement toujours le même angle d'approche quel que soit l'événement. Souvent, ils sont invités par deux, chacun représentant un point de vue différent. Dans un souci d'« équilibre », on leur donne la parole à tour de rôle et très vite ils se mettent à parler en même temps et très fort. L'idée étant que toute question comporte deux facettes et qu'en se voyant exposer les deux points de vue, les téléspectateurs seront en mesure de se faire leurs propres idées. Le problème, c'est que certaines questions ne se règlent pas aussi simplement. Par exemple, recueillir le point de vue de personnes qui pensent qu'on peut avoir recours à la torture ne nous avance guère.

Nos esprits ont de grandes capacités d'absorption qui toutefois ne sont pas illimitées. Si nous remplissons notre cerveau d'informations inintéressantes, il ne restera guère de place pour les choses dignes d'intérêt. De plus, il est impossible de se concentrer sur plus d'une chose à la fois. Quand on sonde les gens sur leur culture générale, qu'il s'agisse de géographie, de politique, de mathématiques, d'histoire ou d'actualité, les résultats sont consternants : nos concitoyens sont ignorants. Par exemple, beaucoup d'entre eux ignorent le nom des parlementaires qui les représentent. La majorité des Américains ne connaissent pas les articles de leur Constitution et, quand ils les rencontrent, trouvent souvent leur contenu inacceptable. Ils ne savent pas situer l'Irak sur une carte et ignorent quels pays étaient impliqués dans la Seconde Guerre mondiale.

Si nous avons du mal à discerner les sujets dignes d'attention de ceux qui le sont moins dans le flot dont on nous abreuve, il est encore plus difficile d'enregistrer ces informations pour en tirer un savoir utile. Assimiler de l'information n'est pas une opération mécanique, encore faut-il réunir quelques autres conditions pour arriver à la compréhension. À cette fin, une vision d'ensemble est nécessaire, pour replacer chaque morceau d'information au bon endroit. Par exemple, face à des photographies de prisonniers victimes de sévices en Irak, on peut se dire qu'il s'agit d'une entorse isolée à des règles militaires imposant le traitement humain des détenus. Ou bien on peut se remémorer les atrocités commises par le passé par des forces d'occupation, y compris les forces américaines au Viêt Nam et se dire que ces crimes sont la conséquence classique et malheureusement inévitable de ces guerres.

L'une des raisons pour lesquelles il est presque impossible d'arriver à donner du sens aux événements qui nous entourent, c'est que ce rôle est aujourd'hui dévolu à quelques malins qui parlent plus fort que les autres et monopolisent le débat public. Nous sommes fréquemment confrontés à ce phénomène dans le système judiciaire, où deux points de vue différents, ceux des parties opposées, sont présentés au jury, afin de le convaincre. « Oui, elle l'a tué, mais il la battait. » « Quand il était PDG de l'entreprise, il s'est enrichi sans savoir que c'était par des procédés illégaux. » « Certes, on a trouvé son ADN sur les lieux du crime, mais il a été placé là par la police. » Et ainsi de suite.

L'expérience a montré que, lorsque des informations nouvelles nous arrivent et qu'elles bousculent nos habitudes de penser, nous les ignorons, les rejetons ou les interprétons de manière à ce qu'elles correspondent à notre vision du monde. Si nous croyons en une certaine philosophie politique ou doctrine religieuse (par exemple, l'infaillibilité de la Bible), nous ferons tout pour que des idées apparemment en contradiction avec ces convictions deviennent compatibles avec elles. Ainsi, l'homosexualité, dont on sait avec quasi-certitude qu'elle est une caractéristique innée, devient un « choix de vie ». L'existence de fossiles vieux de plusieurs millions d'années, que l'on a réussi à dater avec précision grâce au carbone 14, ne saurait en aucun cas remettre en question le récit biblique de la Création en six jours, voici six mille ans. Si l'on croit que la peine de mort est un châtiment juste, aucune étude démontrant qu'elle n'a aucun effet dissuasif ou qu'elle est appliquée de manière inéquitable n'incitera ses partisans à revoir leurs positions. En réalité, la majeure partie de ce qui passe pour du savoir n'est qu'idées figées et stéréotypées, les faits venant confirmer nos convictions profondes. L'individu, persuadé que son groupe ethnique ou son pays est supérieur aux autres, ne risque guère de changer d'avis, quels que soient les éléments de réalité qui viendraient contredire son opinion. La perception fondamentale de ce que nous sommes ne nous permet pas de penser autrement.

À l'échelon le plus élevé sur l'échelle de la connaissance, au-dessus de l'information et du savoir, on trouve la sagesse. Cette qualité désirée entre toutes, qui est semble-t-il le résultat d'une réflexion mesurée et d'une longue expérience, est extrêmement difficile à acquérir. Nous aimerions que la sagesse vienne automatiquement avec l'âge. Cependant, le comportement de la plupart des personnes âgées démontre clairement que ce n'est pas le cas. Quiconque n'a jamais fait preuve de souplesse de penser et ni été capable de changer d'opinion en apprenant des choses nouvelles ne risque pas de s'y mettre à un âge avancé. Le propre de la sagesse, c'est d'avoir tiré de l'expérience d'autrui certaines idées utiles aux autres sur le fonctionnement du monde. Une telle aptitude présuppose une faculté d'anticipation permettant de repérer dans toute situation nouvelle ce qui nous fera progresser. Par exemple, certains comportements ont des conséquences prévisibles. Celui qui peut les prévoir et en faire part aux autres, pris qu'ils sont dans des répétitions qui leur font commettre encore et encore les mêmes erreurs, est un être humain digne d'être écouté.

Cette lente progression, qui fait passer du statut de collecteur d'informations à celui de pourvoyeur de savoirs, est une aventure qui en vaut la peine et permet d'atteindre la sagesse. Même si aucun de nous n'arrive au terme de ce périple, l'effort pour y parvenir fait de notre existence autre chose qu'une accumulation de biens matériels, quand ce n'est pas la poursuite acharnée de nos intérêts personnels. De plus, elle nous permet d'approcher d'un peu plus près la réponse à la question fondamentale de l'existence humaine : après tout, pourquoi sommes-nous là ?

27

Accepter qu'il n'y ait pas de réponse toute faite est la condition du bonheur

Qui ne rêverait d'une vie plus simple ? Nos peurs, notre anxiété, les préjugés que nous avons, les symptômes dépressifs qui peuvent nous tomber dessus sont une manière de réagir à la complexité du monde qui nous entoure. Pour surmonter tout cela et ne plus vivre dans la confusion au quotidien, nous adoptons une attitude tranchée, qui divise le monde en deux : le bien et le mal, le vrai et le faux, le bon et le mauvais, les autres et nous.

Je me souviens de la manière dont j'ai été endoctriné à West Point. « L'honneur », nous a-t-on inculqué, « on en a ou on n'en a pas. C'est comme être enceinte : on l'est ou on ne l'est pas. » Un cadet ne saurait mentir, tricher ou voler, ni tolérer que d'autres le fassent. Peut-on imaginer système plus simple ou plus satisfaisant ? La moindre violation au code entraînait un renvoi. Car quiconque se déshonore une fois n'est plus digne de vivre parmi des hommes d'honneur. Le problème, bien évidemment, c'est qu'il s'agit d'une règle impossible à respecter. Par exemple, que faut-il répondre à la question suivante : « Est-ce que j'ai l'air grosse dans cette robe ? » La réponse « Oui, parce que tu *es* grosse » est peut-être conforme à la vérité, mais elle ne risque pas de faire du bien à votre couple.

Lorsque j'étais à Fort Bragg, au début des années 1960, nous avons reçu la visite du président Kennedy. Quelqu'un a eu l'idée d'organiser un rassemblement de la 82ème division aéroportée sur l'aérodrome. Chaque groupe de combat devait porter une tenue différente pour montrer qu'on intervenait dans des environnements variés. Certaines unités avaient choisi le treillis de la jungle, d'autres la tenue du désert et moi j'étais tout en blanc, avec des skis, sous le soleil de plomb de la Caroline. Beaucoup de soldats n'avaient jamais vu de neige de leur vie. Et nous étions en train de poser, comme si nous nous préparions à combattre dans l'Arctique. Je me souviens qu'à l'époque, j'ai trouvé ce mensonge vis-à-vis du président autrement plus grave que celui commis par des soldats ce matin-là, qui avaient prétendu avoir ciré leurs chaussures et qui ont été renvoyés de West Point pour cette raison.

Le problème des vérités morales inflexibles et des codes de conduite rigides, c'est qu'à long terme, ils sont impossibles à appliquer et font naître en nous de la culpabilité ainsi qu'un sentiment d'échec, lorsque nous ne parvenons pas à les respecter. En bref, ils sont une incitation à l'hypocrisie. Lorsqu'on découvre que tel homme d'Église est un déviant sexuel ou que l'auteur d'un ouvrage prônant la vertu se révèle être un joueur invétéré ou qu'une célébrité des médias aimant se donner en exemple est en réalité un toxicomane, on en arrive vite à la conclusion que l'attitude moraliste de ces personnes est une façon de supporter leur propre fragilité. Le fait qu'ils s'en sortent généralement sans avoir à subir les conséquences de leurs mensonges, en continuant à nous donner des leçons, est une preuve de notre très grande tolérance ... ou stupidité.

La pratique de la psychothérapie implique de ne jamais être catégorique et surtout de supporter de ne pas l'être (sauf, bien entendu, quand on vous demande d'intervenir en public, auquel cas il n'y a pas de place à l'incertitude). Les problèmes que les patients exposent à leurs thérapeutes sont toujours difficiles à comprendre et à résoudre. S'ils étaient simples, les patients les auraient déjà réglés eux-mêmes. C'est la raison pour laquelle les bons thérapeutes sont avares en conseils précis. Ce n'est pas par modestie. C'est parce qu'ils savent que les solutions viennent des patients eux-mêmes. C'est un signe évident de confiance en l'aptitude des hommes à régler eux-mêmes leurs problèmes, avec un peu d'aide et d'écoute.

Une autre qualité qui est souvent mise à l'épreuve, en même temps que le fait d'accepter de ne pas tout savoir et de ne pas donner de réponse, c'est notre résilience. Nous subissons tous des pertes dans nos vies, surtout quand on avance en âge ; nous n'y sommes jamais préparés et elles nous bousculent toujours mais c'est bien notre façon d'y réagir qui nous permet de continuer à vivre. En d'autres termes, l'attitude que nous adoptons face à ce qui nous arrive ou nous arrivera est un indicateur de nos modes de réaction. Même des événements qui mettent en péril la vie provoquent des réactions différentes chez les uns et les autres, à long ou moyen terme. Ainsi, tous les soldats qui ont eu à combattre ne sont pas atteints de stress post-traumatique.

Par le passé, j'ai reçu en consultation un jeune homme, passager d'une voiture qui avait été arrêtée par la police. Selon l'un des policiers, le passager lui aurait fait un bras d'honneur. Le jeune homme est devenu agressif, affirmant qu'il n'était pas interdit de lever le bras devant un agent de police. Cela n'étonnera personne : il a été arrêté pour outrage à agent et il a passé quelques heures dans une cellule, avant d'être libéré. Rapidement, il a porté plainte, affirmant, entre autres, qu'il avait souffert de stress post-traumatique – avec insomnies, dépression et souvenirs traumatiques – à la suite de son arrestation. Je lui ai gentiment fait comprendre que, selon moi, son trouble était, dans une large mesure, de son fait et n'avait rien à voir avec le stress post-traumatique, tel qu'il est défini dans le DSM-IV, et qui met en péril l'existence de l'individu. Comme on pouvait s'y attendre, il a trouvé un autre psychiatre pour témoigner en sa faveur au procès. Le jury lui a donné raison et la police a été condamnée à lui verser un dollar symbolique, une façon de contenter tout le monde.

Il y a bien une situation dans la vie (et pas des plus désagréables !), dans laquelle il faut accepter d'être sûr de rien, c'est lorsque nous tombons amoureux. C'est dans ces occasions que notre confiance en l'autre est mise à l'épreuve et que nous hésitons à nous engager, forts de nos expériences passées, qui nous ont démontré le caractère éphémère de l'attachement humain. On a comparé une demande en mariage à un saut du haut d'une falaise, dans l'obscurité, dans l'espoir d'un atterrissage en douceur. Jamais la vie ne comporte autant d'incertitudes qu'à ce moment-là. Et malgré tout, les candidats se pressent, avec l'espoir qu'ils seront gagnants. C'est peut-être le même espoir qui remplit les avions à destination de Las Vegas. Notre désir de jouer, souvent en dépit du bon sens, s'explique par notre besoin d'exaltation et notre forte propension à nous nourrir d'espoir.

L'une de mes chansons préférées dit : « *I wish I didn't know now what I didn't know then* ». (littéralement :

j'aimerais ne pas savoir aujourd'hui ce que je ne savais pas hier). La vie nous surprend en permanence, souvent de manière désagréable. C'est notre façon de réagir à l'imprévisible qui permet, dans une large mesure, de savoir si nous sommes heureux ou pas. Nos seules certitudes dans l'existence, c'est que nous mourrons tous et que nous allons payer des impôts. Trouver le courage de sortir de son lit, le matin, tient du miracle, sauf que même les chambres à coucher ne sont pas des endroits sûrs (combien d'erreurs terribles y avons-nous commises ?). C'est là que le paradoxe intervient à nouveau : ceux qui sont prêts à improviser s'en sortent mieux que ceux qui suivent une partition écrite à l'avance. Pour dire les choses autrement : si l'on compare la vie à une scène de théâtre et que l'on se considère comme l'auteur de cette dernière, on a de fortes chances d'en profiter plus que ceux qui comptent sur les autres pour leur dire ce qu'il faut faire.

Les personnes qui voient la vie de manière simple ont généralement tendance à vouloir que tout le monde fasse comme eux. Malheureusement, la vie se révèle compliquée, autant du point de vue de la génétique que de la philosophie. Quiconque a fait des études de biologie et passé du temps à tenter de déchiffrer le cycle de Krebs ou la structure de l'ADN est forcément impressionné par la complexité des processus chimiques communs à tous les êtres vivants. Ce n'est pas une discipline qui convient à ceux qui recherchent des réponses simples…

La même complexité gouverne les sciences du comportement humain et explique notre difficulté à prévoir comment les gens réagiront dans une situation donnée. Rien d'étonnant à ce que, dans ces conditions, nos règles de vie et nos positions morales soient si diverses et complexes. Après tout, à chacun son guide et comment est-ce possible que les hommes suivent tous le même ? Pour vivre en paix et en harmonie, cette probabilité est très réduite.

Alors, comment concilier cette immense diversité de convictions et ces différences de points de vue sur la vie ? Quelle que soit la réponse à cette question, je pense que la valeur fondamentale à cultiver est la tolérance à l'égard des comportements d'autrui, dès lors que ceux-ci ne représentent pas une entrave à notre propre bonheur.

28

À mesure que nous vieillissons, la beauté devient intérieure

Nous sommes sur terre pour découvrir la beauté – tout le reste n'est qu'attente vaine.

Kahlil Gibran

Hormis la mort, rien n'est plus terrifiant pour l'être humain que le vieillissement. Diminution de notre pouvoir de séduction, infirmité, perte de notre autonomie, déclin intellectuel : toutes les évolutions associées à l'âge nous incitent à envisager avec horreur les manifestations inexorables du vieillissement. Même relativement jeunes, nous nous observons attentivement, à la recherche de rides, de calvities naissantes, de kilos superflus. Nous ne reculons devant aucun effort et aucune dépense pour lutter contre cette déchéance physique. Au-delà de trente ans, le plus beau compliment qu'on puisse faire à quelqu'un, c'est : « Vous ne faites pas votre âge. » Une preuve de plus – si tant est qu'on en manquait – que notre culture accorde la priorité à la forme sur le fond.

Il peut sembler paradoxal que nous ayons si peur de vieillir, alors que tant de gens ont envie de vivre vieux. N'y a-t-il pas de compensations à notre déclin physique ? L'une de mes patientes âgées m'a raconté qu'un vendeur, dans un magasin, lui a dit qu'elle ne faisait pas ses soixante-quinze ans. Elle lui a répondu : « Pourtant, c'est à cela qu'on ressemble quand on a soixante-quinze ans. » Pourquoi ne sommes-nous pas tous capables d'assumer nos corps vieillissants avec la même sérénité ?

Nous avons créé des euphémismes pour mieux supporter la sénescence. Les termes de « troisième âge » et de « seniors » sont condescendants et ne rassurent personne. De plus, ils suggèrent une amélioration de statut, ce qui est pour le moins cynique.

Indéniablement, il existe entre les générations une part de ressentiment mutuel. Les plaisanteries sur la lenteur et l'incompétence des anciens, les débats sur l'âge à partir duquel il faudrait arrêter de conduire, la tendance à la marginalisation et à la ségrégation des gens en fonction de leur âge : tout cela témoigne d'une réticence des jeunes à regarder en face ce qu'inévitablement ils deviendront.

Les personnes âgées, pour leur part, se montrent intolérantes vis-à-vis des goûts et des comportements des jeunes générations. Elles n'aiment ni leur musique, ni leurs vêtements, ni leur manque de bonnes manières. Elles sont, à n'en pas douter, jalouses de ce que les jeunes peuvent encore entreprendre et qu'elles ne peuvent plus. Qui n'a jamais éprouvé du ressentiment à l'égard de ceux qui possèdent ce qu'on désire le plus ardemment ? Lorsque ce qui nous manque nous semble encore accessible à l'avenir, nous pouvons nous consoler, en prenant notre mal en patience. En revanche, quel espoir reste-t-il à celui qui envie la jeunesse alors qu'il est vieux ?

Y a-t-il des bons côtés au fait de prendre de l'âge ? Le temps libre ? Mais comment l'occuper ? La sécurité financière ? Pour quoi faire ? L'absence de pression ? Faudrait-il encore nous convaincre qu'on sert encore à quelque chose !

La pire punition qui puisse nous être infligée c'est d'être ignoré. Les enfants le savent, préférant se faire punir plutôt que de ne pas se faire remarquer. Avoir l'impression que personne ne fait attention à vous est une forme de folie, un sentiment intolérable. Des crimes terribles sont commis par ceux qui se sentent impuissants et ignorés. Toutefois, c'est précisément cette impression qui est le lot des anciens. Privées du sentiment d'être utiles, privées du statut d'« actifs », les personnes âgées sont mises à l'écart dans des « maisons pour vieux » qui n'offrent que des images de déclin et de mort et où elles ont le sentiment d'être totalement privées de paroles.

L'attention qu'on leur porte se limite généralement aux visites obligées de leur famille, brèves, peu fréquentes et pas toujours cordiales.

Où est la beauté dans tout cela ? Comme toutes les qualités humaines dignes d'intérêt – le courage, la gentillesse, la détermination, la grâce – elle existe dans les yeux de ceux qui ont appris à l'apprécier. Parce que le monde dans lequel nous vivons est superficiel, l'idée classique de la beauté chez un être humain est étroitement liée à sa jeunesse. On sait que les gens beaux ont une vie plus facile. Les portes s'ouvrent devant eux, au sens propre comme au sens figuré, et ils se voient souvent attribuer (généralement à tort) d'autres qualités, comme la vivacité d'esprit ou l'intelligence du cœur. C'est ainsi que quantité d'acteurs qui font la couverture de nos hebdomadaires sont confondus, dans l'esprit du public, avec les personnages qu'ils incarnent.

Il n'est donc pas étonnant qu'ils fassent tout ce qu'ils peuvent pour conserver une apparence jeune, y compris en s'injectant des toxines. Il n'est pas moins étonnant de nous voir emboîter le pas en les copiant. Pourtant, ces combats sont perdus d'avance ; le temps a raison de nos corps et de nos esprits. Mais il y a des compensations à l'âge. Encore faut-il savoir les apprécier.

Dans les huit étapes du développement psychosocial décrites par Erik Erikson, la période au-delà de soixante-cinq ans est qualifiée de phase de « maturité ». À ses yeux, le combat essentiel de cette période consiste à garder son intégrité sans sombrer dans le désespoir. L'individu doit « réfléchir à sa vie et à sa mort, et accepter l'une et l'autre », dans le but d'arriver à une sorte de paix intérieure et avec ceux qui nous sont chers et qui nous survivront.

Dans cette définition, un élément fait défaut : cette phase de la vie peut se placer sous le signe de la créativité et de l'énergie. Classiquement, on envisage la retraite comme une période de loisirs, jusqu'à ce que l'infirmité physique ou mentale nous empêche de nous y adonner. Cette idée n'accorde guère d'importance aux enseignements que nous sommes capables de transmettre aux générations à venir. Il n'est donc pas étonnant que les personnes âgées se conforment à l'idée qu'elles n'ont pas grand-chose à offrir et qu'elles sont simplement supposées s'amuser le plus possible, avant de se préparer à mourir. Où est la beauté dans tout cela ?

Au cours de cette phase de l'existence, ne serait-il pas plus judicieux de passer moins de temps à faire du golf et plus de temps à communiquer ? Cette démarche exigerait de chaque individu une réflexion sur son existence et le sens de celle-ci, ainsi qu'une certaine indulgence pour les erreurs commises et les rêves inaccomplis, afin de parvenir, à terme, à une réconciliation avec le passé. Nous pourrions ainsi servir de modèle à ceux que nous aimons, en leur montrant comment mener à bien notre ultime tâche, qui est essentielle : quitter cette terre en paix avec nous-mêmes.

Pour ce faire, certaines familles s'organisent pour recueillir le témoignage oral des anciens, afin que leur vie serve aux générations futures. On s'adresse au membre le plus âgé du clan et on l'interroge sur sa vie, avec force détails ; tous ses souvenirs sont collectés et enregistrés, puis retranscrits. Le tout est illustré de photographies anciennes, avant d'être relié et distribué à tous les membres de la famille. L'exercice est à la fois thérapeutique et enrichissant. La personne âgée interrogée trouve gratifiant que ses enfants et petits-enfants s'intéressent à elle. Ensuite, l'exercice lui permet de réfléchir à sa vie, d'en ordonner les événements et d'en extraire un sens. Enfin, le document qui en résulte peut constituer un lien durable entre les générations.

Un ami de ma famille s'est prêté à l'exercice et son récit s'achevait sur ces mots :

« En dépit des erreurs commises lorsque j'étais un jeune père, mes enfants sont tous devenus des personnes formidables et des parents aimants qui réussissent leur vie, chacun d'entre eux, beaucoup mieux que moi. Ils ont tous bien mené leur barque et ils sont heureux. Nous nous retrouvons tous pour les vacances et les grandes occasions. Tout le monde s'entend bien. C'est vraiment extraordinaire. Je suis fier de ce que j'ai accompli et fier de mes enfants, des vies qu'ils se sont construites. Je peux dire, avec une profonde satisfaction, que j'ai eu une vie riche et bien remplie. »

29.

Nous ne pouvons rien accomplir seuls

S i la vie de chaque individu met à l'épreuve sa responsabilité personnelle, qu'en est-il de notre vie collective,
en tant que pays ? Notre comportement récent pourrait laisser croire que les Américains sont un peuple triompha-
liste, qui déclare souvent et publiquement que leur pays
est le gardien de la liberté, le dernier espoir de l'humanité
dans l'éternel combat entre les forces du bien et du mal.
Nous aimons imaginer que Dieu est satisfait de nous et de
ce que nous avons accompli. Il nous soutiendrait même
dans notre croisade pour étendre les bienfaits de la liberté
et de la démocratie au reste du monde, même si le monde
ne nous a rien demandé !

Cela ne fait aucun doute : les États-Unis étaient du bon côté lors des principaux conflits qui ont embrasé notre planète, ces deux derniers siècles, et certainement pas des plus faciles. De la même manière, au cours de cette période, nous avons aussi commis de graves erreurs. En ce sens, l'existence de notre nation a été placée sous le signe d'une alternance de bonnes et de mauvaises choses, ce qui ressemble fort à ce qui régit les comportements. Nous avons toléré l'esclavage dans les textes fondateurs de notre pays, avant de mener une guerre civile sanglante pour y mettre fin. Nous continuons pourtant à vivre avec l'héritage de l'esclavage. Nous reconnaissons les droits des minorités, tout en acceptant quantité de discriminations. Nous avons vaincu le totalitarisme lors de la Seconde Guerre mondiale, mais nous avons soutenu quantité de régimes comparables dans les années qui ont suivi. Et les exemples sont légion.

Nous savons que nous ne sommes pas parfaits, et que nous n'avons pas toujours raison dans les différends qui nous opposent à d'autres pays. Pourtant, nous n'hésitons pas à qualifier de mauvais patriotes ceux d'entre nous qui dénoncent les contradictions fréquentes entre nos idéaux et nos actes. Les Américains sont d'ardents partisans des solutions militaires. Cette attitude se situe dans la droite ligne d'une philosophie qui considère que l'être humain est fondamentalement imparfait et qu'il ne peut s'améliorer que sous la menace d'une punition, principe clé de la conviction religieuse dominante, à savoir que nous avons été placés sur terre pour honorer Dieu et être mis à l'épreuve.

En règle générale, nous choisissons pour dirigeants des gens imbus d'eux-mêmes, qui prétendent avoir des solutions à la pauvreté, la drogue et la sécurité nationale – autant de problèmes qui perdurent, après que des générations d'électeurs ont voté pour ceux qui promettaient de les résoudre. Ce que ces dirigeants ne peuvent faire, c'est nous sauver de nous-mêmes. Il est rare qu'une personnalité politique déclare : « Je n'ai pas de réponse à ces problèmes insolubles. Tout ce que je peux faire, c'est à vous d'en décider. » Apparemment, personne n'a envie d'entendre de tels discours.

Et pourtant, c'est la vérité. Nos bons côtés, notre intelligence, notre force ne se révèlent que collectivement. Si nous laissons nos dirigeants envoyer des soldats à l'étranger sans motifs valables (ou pire encore, sur la base de mensonges et de suppositions erronées), faut-il s'étonner que certains d'entre eux commettent des crimes de guerre ? Croyons-nous en être quitte avec nos responsabilités en poursuivant quelques mécréants en uniformes ? *La fin justifie les moyens.* Nous ne pouvons vaincre le mal en commettant des actes mauvais, au nom de fins louables. Lorsqu'on commence à se demander si tel ou tel acte peut être considéré comme de la torture, selon la définition qu'on donne des « mauvais traitements à l'encontre d'autres humains », c'est qu'on s'est fourvoyé.

Pourquoi avons-nous tant de mal à comprendre cela ? Dans notre vie privée, il ne nous viendrait pas à l'idée de justifier le recours au crime pour défendre nos intérêts ou pour imposer notre philosophie personnelle. Nous avons bâti un système judiciaire complexe pour punir ceux qui tentent de commettre de tels actes. Pourquoi ne pourrions-nous exiger que le comportement de notre pays soit jugé à l'aune de règles comparables ?

Lors de l'un des moments les plus hasardeux de l'histoire des États-Unis, Abraham Lincoln a déclaré : « Mes chers compatriotes, nous ne pouvons échapper à l'histoire. Nous resterons dans les mémoires, que nous le souhaitions ou non. L'épreuve que nous traversons fera de nous des hommes d'honneur ou de déshonneur, jusqu'à la dernière génération. » Notez qu'il n'a pas parlé de « victoire » ou de « défaite », mais « d'honneur ou de déshonneur ». Dans le conflit le plus sanglant de l'histoire des États-Unis, il se préoccupait de ces valeurs, parce qu'il connaissait l'Évangile : « Que sert donc à l'homme de gagner le monde entier, s'il se perd ou se ruine lui-même ? »

Critiquer son pays lorsque ses dirigeants (qui ne font que passer) violent des notions fondamentales comme la valeur de l'être humain et la dignité humaine est un acte profondément patriotique. Ceux qui défendent leur pays sous n'importe quelles conditions sont des traîtres à la nation qui n'hésiteraient pas à utiliser le drapeau pour nous bander les yeux.

30

La plupart des gens partent avec leur secret

C ommencer à s'intéresser à la rubrique « Nécrologie »
des journaux, en s'arrêtant sur ceux qui ont plus ou
moins notre âge, est un signe que l'on vieillit. Comme
l'éloge funéraire, la nécrologie tend à mettre en avant les
aspects positifs de la vie du défunt. C'est naturel : après
tout, il est mort, alors à quoi bon mentionner qu'il était
alcoolique, qu'il était infidèle ou qu'il ne s'occupait pas de
ses enfants ?

Les nécrologies ne nous apprennent pas grand-chose –
peut-être parce qu'on n'en confie pas la rédaction aux
meilleurs journalistes. C'est dommage, parce qu'elles

recèlent un potentiel d'informations utiles. Loin des textes vides présentés comme des résumés de la vie des gens, les nécrologies seraient autrement plus intéressantes si elles étaient écrites de la main du défunt. En fait, nous serions tous bien inspirés de rédiger la nôtre, en commençant l'exercice vers l'âge de vingt ans, pour revoir notre copie tous les ans ou tous les deux ans. Saurait-on imaginer meilleur moyen de regarder en face l'individu que nous sommes, de prendre du recul par rapport à ce que nous faisons, de réfléchir au sens à donner à notre vie et de nous demander enfin si nous progressons dans la bonne direction ? Sommes-nous la personne que nous aimerions voir survivre dans la mémoire de ceux qui nous ont connus ?

De temps en temps, il m'arrive de demander à des patients de rédiger leur nécrologie. À l'instar de la rédaction d'une épitaphe, celle écrite de notre main peut être un exercice riche en enseignements. Tout comme le récit de notre vie écrit par un tiers, ce que nous écrivons à notre sujet peut être une œuvre de fiction. Mais le souvenir qu'on aimerait laisser aux autres permet de se concentrer sur ce qu'on a fait de sa vie, ou, mieux, sur ce qu'on n'a pas fait. Les nécrologies du journal de ma région définissent en général les gens par leur activité professionnelle – professeur, directeur de restaurant, consultant, femme au foyer – comme si c'est cela qu'il fallait retenir d'eux.

Bien évidemment, lorsque les gens rédigent eux-mêmes leur nécrologie, ils parlent plutôt du parent, du bénévole ou de l'amateur d'automobiles anciennes qu'ils ont été.

Par ailleurs, les gens ont tendance à porter un regard plus pondéré sur leur vie que le panégyriste typique. Ceux qui ont réussi à surmonter une addiction, par exemple, en parlent comme d'une réalisation remarquable. Leurs erreurs commises en tant que parent sont souvent évoquées, à côté de déclarations d'amour pour leurs enfants dont ils fiers. Enfin, les gens arrivent assez bien à transmettre ce qu'ils ont appris, souvent à leurs frais et au prix d'expériences douloureuses, au cours de leur vie. Toutefois, l'intérêt le plus profond de l'exercice réside dans les regrets (qui ne sont jamais mentionnés dans les véritables nécrologies) concernant les rêves non réalisés.

En réalité, rares sont ceux qui vivent la vie qu'ils avaient imaginée dans leur jeunesse. Sur le plan matériel, nous nous portons souvent mieux que prévu, mais il est rare d'entendre des gens affirmer qu'ils sont plus heureux qu'ils ne pensaient l'être. En réalité, au mitan de sa vie, voire au-delà, on est souvent pris de nostalgie pour une vie plus simple, mais porteuse de plus de possibilités.

L'avantage d'écrire soi-même sa nécrologie, c'est qu'on a la possibilité de la modifier ou de la compléter. Certaines personnes pratiquent une variante de cet exercice, en rédigeant un « testament éthique ». Contrairement au testament traditionnel, destiné à répartir entre ses héritiers l'argent et les biens matériels, le testament éthique contient des valeurs ou une ligne de conduite qu'on pense dignes d'intérêt pour ceux qui nous survivront. La rédaction d'un tel testament est une idée intéressante, qu'elle s'effectue à la veille de mourir ou à mi-parcours de l'existence. On y dresse un « inventaire » des expériences et des convictions que l'on aimerait transmettre à ceux qui survivront.

Le problème des déclarations que j'ai lues, c'est qu'elles contiennent généralement une foule de conseils, ce qui est, j'imagine, assez caractéristique du dialogue habituel entre les générations, les plus âgés éprouvant le besoin de dire aux plus jeunes ce qu'ils doivent faire. Or nous serions mieux entendus si nous nous contentions de raconter nos histoires, en laissant ceux qui nous écoutent en deviner la morale. Dans les ateliers d'écriture, on donne volontiers la consigne suivante : « Ne dites pas les choses, montrez-les. » Le meilleur moyen d'assimiler des valeurs est de voir comment les autres ont traduit leurs convictions en actes, et non de s'entendre dire : « suis ta passion », « respecte autrui » ou « vis une vie honnête ». Pour la plupart, nous savons ce qu'il faudrait faire ; simplement, nous avons besoin de modèles qui nous montrent comment ceux qui ont vécu avant nous ont mis en pratique leurs convictions.

Il n'est guère surprenant que face à sa condition de mortel, l'être humain ait tendance à chercher désespérément à ce qu'on se souvienne de lui. « Quiconque n'est pas occupé à naître est occupé à mourir », a dit Bob Dylan. Sa musique lui survivra sans conteste.

Composition réalisée par Nord Compo
Imprimé en Italie par Légo s.p.a.

Pour le compte des Éditions Marabout.
D.L. avril 2009
ISBN : 978-2-501-05529-1
40.8199.8/02